Milan Kundera

L'ignorance

Postface
de François Ricard

Gallimard

1

«Qu'est-ce que tu fais encore ici!» Sa voix n'était pas méchante, mais elle n'était pas gentille non plus; Sylvie se fâchait.

«Et où devrais-je être? demanda Irena.

— Chez toi!

— Tu veux dire qu'ici je ne suis plus chez moi?»

Bien sûr, elle ne voulait pas la chasser de France, ni lui donner à penser qu'elle était une étrangère indésirable: «Tu sais ce que je veux dire!

— Oui, je le sais, mais est-ce que tu oublies que j'ai ici mon travail? mon appartement? mes enfants?

— Écoute, je connais Gustaf. Il fera

tout pour que tu puisses rentrer dans ton pays. Et tes filles, ne me raconte pas de blagues! Elles ont déjà leur propre vie! Mon Dieu, Irena, ce qui se passe chez vous est tellement fascinant! Dans une situation pareille les choses s'arrangent toujours.

— Mais, Sylvie! Il n'y a pas que les choses pratiques, l'emploi, l'appartement. Je vis ici depuis vingt ans. Ma vie est ici!

— C'est la révolution chez vous!» Elle le dit sur un ton qui ne supportait pas la contestation. Puis elle se tut. Par ce silence, elle voulait dire à Irena qu'il ne faut pas déserter quand de grandes choses se passent.

«Mais si je rentre dans mon pays, nous ne nous verrons plus», dit Irena, pour mettre son amie dans l'embarras.

Cette démagogie sentimentale fit long feu. La voix de Sylvie devint chaleureuse: «Ma chère, j'irai te voir! C'est promis, c'est promis!»

Elles étaient assises face à face au-dessus de deux tasses à café vides depuis longtemps. Irena vit des larmes d'émotion dans les yeux de Sylvie qui se pencha vers elle et lui serra la main : « Ce sera ton grand retour. » Et encore une fois : « Ton grand retour. »

Répétés, les mots acquirent une telle force que, dans son for intérieur, Irena les vit écrits avec des majuscules : Grand Retour. Elle ne se rebiffa plus : elle fut envoûtée par des images qui soudain émergèrent de vieilles lectures, de films, de sa propre mémoire et de celle peut-être de ses ancêtres : le fils perdu qui retrouve sa vieille mère ; l'homme qui revient vers sa bien-aimée à laquelle le sort féroce l'a jadis arraché ; la maison natale que chacun porte en soi ; le sentier redécouvert où sont restés gravés les pas perdus de l'enfance ; Ulysse qui revoit son île après des années d'errance ; le retour, le retour, la grande magie du retour.

2

Le retour, en grec, se dit *nostos*. *Algos* signifie souffrance. La nostalgie est donc la souffrance causée par le désir inassouvi de retourner. Pour cette notion fondamentale, la majorité des Européens peuvent utiliser un mot d'origine grecque (*nostalgie, nostalgia*) puis d'autres mots ayant leurs racines dans la langue nationale : *añoranza*, disent les Espagnols ; *saudade*, disent les Portugais. Dans chaque langue, ces mots possèdent une nuance sémantique différente. Souvent, ils signifient seulement la tristesse causée par l'impossibilité du retour au pays. Mal du pays. Mal du chez-soi. Ce qui, en anglais, se dit : *homesickness*. Ou en allemand : *Heimweh*. En hollandais : *heimwee*. Mais c'est une réduction spatiale de cette grande notion. L'une des plus anciennes langues européennes, l'islandais, distingue bien deux termes : *söknudur* : nostalgie dans son sens général ; et *heimfra* : mal du pays. Les Tchèques, à côté du mot *nostalgie* pris du grec, ont pour cette notion leur propre substantif, *stesk*, et leur propre verbe ; la phrase d'amour tchèque la plus émouvante : *stýská se mi po tobě* : j'ai la nostalgie de toi ; je ne peux supporter la douleur de ton absence. En espagnol, *añoranza* vient du verbe *añorar* (avoir de la nostalgie) qui vient du catalan *enyorar*, dérivé, lui, du mot latin *ignorare* (ignorer). Sous cet éclairage étymologique, la nostalgie apparaît comme la souffrance de l'ignorance. Tu es loin, et je ne sais pas ce que tu deviens. Mon pays est loin, et je ne sais pas ce qui s'y passe. Certaines langues ont quelques difficultés avec la nostalgie : les Français ne peuvent l'exprimer que par le substantif d'origine grecque et n'ont pas de verbe ; ils peuvent dire : *je m'ennuie de toi* mais le mot *s'ennuyer* est faible, froid, en tout cas trop léger pour un sentiment si grave. Les Allemands utilisent rarement le mot nostalgie dans sa forme grecque et préfèrent dire *Sehnsucht* : désir de ce qui est absent ; mais la *Sehnsucht* peut viser aussi bien ce qui a été que ce qui n'a jamais été (une nouvelle aventure) et elle n'implique donc pas nécessairement l'idée d'un *nostos* ; pour inclure dans la *Sehnsucht* l'obsession du retour, il faudrait ajouter un complément : *Sehnsucht nach der Vergangenheit, nach der verlorenen Kindheit, nach der ersten Liebe* (désir du passé, de l'enfance perdue, du premier amour).

C'est à l'aube de l'antique culture grecque qu'est née *L'Odyssée*, l'épopée fondatrice de la nostalgie. Soulignons-le : Ulysse, le plus grand aventurier de tous les temps, est aussi le plus grand nostalgique. Il alla (sans grand plaisir) à la guerre de Troie où il resta dix ans. Puis il se hâta de retourner à son Ithaque natale mais les intrigues des dieux prolongèrent son périple d'abord de trois années bourrées d'événements les plus fantasques, puis de sept autres années qu'il passa, otage et amant, chez la déesse Calypso qui, amoureuse, ne le laissait pas partir de son île.

Au cinquième chant de *L'Odyssée*, Ulysse lui dit : « Toute sage qu'elle est, je sais qu'auprès de toi, Pénélope serait sans grandeur ni beauté... Et pourtant le seul vœu que chaque jour je fasse est de rentrer là-bas, de voir en mon logis la journée du retour ! » Et Homère continue : « Comme Ulysse parlait, le soleil se coucha ; le crépuscule vint : sous la voûte, au profond de la grotte, ils rentrèrent pour rester dans les bras l'un de l'autre à s'aimer. »

Rien de comparable à la vie de la

pauvre émigrée qu'avait été Irena pendant longtemps. Ulysse vécut chez Calypso une vraie *dolce vita*, vie aisée, vie de joies. Pourtant, entre la dolce vita à l'étranger et le retour risqué à la maison, il choisit le retour. À l'exploration passionnée de l'inconnu (l'aventure), il préféra l'apothéose du connu (le retour). À l'infini (car l'aventure ne prétend jamais finir), il préféra la fin (car le retour est la réconciliation avec la finitude de la vie).

Sans le réveiller, les marins de Phéacie déposèrent Ulysse dans des draps sur la rive d'Ithaque, au pied d'un olivier, et partirent. Telle fut la fin du voyage. Il dormait, épuisé. Quand il se réveilla, il ne savait pas où il était. Puis Athéna écarta la brume de ses yeux et ce fut l'ivresse ; l'ivresse du Grand Retour ; l'extase du connu ; la musique qui fit vibrer l'air entre la terre et le ciel : il vit la rade qu'il connaissait depuis son enfance, la montagne qui la surplombait, et il caressa le vieil olivier pour s'assurer qu'il était resté tel qu'il était vingt ans plus tôt.

En 1950, alors qu'Arnold Schönberg

était aux États-Unis depuis dix-sept ans, un journaliste lui posa quelques questions perfidement naïves : est-ce vrai que l'émigration fait perdre aux artistes leur force créatrice ? que leur inspiration se dessèche dès que les racines du pays natal cessent de la nourrir ?

Figurez-vous ! Cinq ans après l'Holocauste ! Et un journaliste américain ne pardonne pas à Schönberg son manque d'attachement pour ce bout de terre où, devant ses yeux, l'horreur de l'horreur s'était mise en branle ! Mais rien à faire. Homère glorifia la nostalgie par une couronne de laurier et stipula ainsi une hiérarchie morale des sentiments. Pénélope en occupe le sommet, très haut au-dessus de Calypso.

Calypso, ah Calypso ! Je pense souvent à elle. Elle a aimé Ulysse. Ils ont vécu ensemble sept ans durant. On ne sait pas pendant combien de temps Ulysse avait partagé le lit de Pénélope, mais certainement pas aussi longtemps. Pourtant on exalte la douleur de Pénélope et on se moque des pleurs de Calypso.

3

Tels des coups de hache, les grandes dates marquent le XXe siècle européen de profondes entailles. La première guerre de 1914, la deuxième, puis la troisième, la plus longue, dite froide, qui se termine en 1989 avec la disparition du communisme. Outre ces grandes dates qui concernent toute l'Europe, des dates d'importance secondaire déterminent les destins de nations particulières : l'an 1936 de la guerre civile en Espagne ; l'an 1956 de l'invasion russe en Hongrie ; l'an 1948, quand les Yougoslaves se révoltèrent contre Staline et l'an 1991, quand ils se mirent tous ensemble à s'entre-tuer. Les Scandinaves, les Hollandais, les Anglais jouissent du privilège de n'avoir connu aucune date importante après 1945, ce qui leur a permis de vivre un demi-siècle délicieusement nul.

L'histoire des Tchèques, dans ce siècle, se pare d'une remarquable beauté mathématique due à la triple répétition du nombre vingt. En 1918, après plusieurs siècles, ils obtinrent leur État indépendant et, en 1938, le perdirent.

En 1948, importée de Moscou, la révolution communiste inaugura par la Terreur la deuxième vingtennie, qui se termina en 1968 quand les Russes, furieux de voir son insolente émancipation, envahirent le pays avec un demi-million de soldats.

Le pouvoir d'occupation s'installa de tout son poids à l'automne 1969 et s'en alla, sans que personne ne s'y attende, à l'automne 1989, doucement, courtoisement, comme le firent alors tous les régimes communistes d'Europe : la troisième vingtennie.

Ce n'est que dans notre siècle que les dates historiques se sont emparées avec une telle voracité de la vie de tout un chacun. Impossible de comprendre l'existence d'Irena en France sans analyser d'abord les dates. Dans les années cinquante et soixante, un émigré des pays communistes y était peu aimé ; les Français tenaient alors pour seul vrai mal le fascisme : Hitler, Mussolini, l'Espagne de

Franco, les dictatures d'Amérique latine. Ils ne se sont décidés que progressivement, vers la fin des années soixante et durant les années soixante-dix, à concevoir aussi le communisme comme un mal, quoique un mal d'un degré inférieur, disons, le mal numéro deux. C'est à cette époque, en 1969, qu'Irena et son mari ont émigré en France. Ils ont vite compris qu'en comparaison avec le mal numéro un la catastrophe qui était tombée sur leur pays était trop peu sanglante pour impressionner leurs nouveaux amis. Pour s'expliquer, ils ont pris l'habitude de dire à peu près ceci :

« Si horrible qu'elle soit, une dictature fasciste disparaîtra avec son dictateur, si bien que les gens peuvent garder espoir. Par contre, le communisme, appuyé par l'immense civilisation russe, pour une Pologne, pour une Hongrie (et ne parlons même pas de l'Estonie !), est un tunnel qui n'a pas de bout. Les dictateurs sont périssables, la Russie est éternelle. C'est dans une absence totale d'espoir que consiste le malheur des pays d'où nous venons. »

Ils exprimaient ainsi fidèlement leur

pensée et Irena, pour l'étayer, citait un quatrain de Jan Skacel, poète tchèque de ce temps : il parle de la tristesse qui l'entoure; cette tristesse, il voudrait la soulever, l'emporter au loin, s'en faire une maison, il voudrait s'y enfermer pour trois cents ans et trois cents ans durant ne pas ouvrir la porte, à personne n'ouvrir la porte !

Trois cents ans ? Skacel a écrit ces vers dans les années soixante-dix et est mort en 1989, en automne, quelques jours avant que les trois cents ans de tristesse qu'il avait vus devant lui ne se dissipent en quelques jours : les gens ont rempli les rues de Prague et les trousseaux de clés dans leurs mains levées ont carillonné l'arrivée des temps nouveaux.

Skacel s'est-il trompé en parlant de trois cents ans ? Bien sûr que oui. Toutes les prévisions se trompent, c'est l'une des rares certitudes qui a été donnée à l'homme. Mais si elles se trompent, elles disent vrai sur ceux qui les énoncent, non pas sur leur avenir mais sur leur temps présent. Pendant ce que j'appelle leur première vingtennie (entre 1918 et 1938), les Tchèques ont pensé que leur République avait devant elle un infini. Ils se trompaient mais, justement parce qu'ils se trompaient, ils ont vécu ces années dans une joie qui a fait fleurir leurs arts comme jamais auparavant.

Après l'invasion russe, n'ayant pas la moindre idée de la fin prochaine du communisme, de nouveau ils se sont imaginé habiter un infini et ce n'est pas la souffrance de leur vie réelle mais la vacuité de l'avenir qui a pompé leurs forces, étouffé leur courage, et rendu cette troisième vingtennie si lâche, si misérable.

Persuadé d'avoir ouvert, par son esthétique de douze notes, des perspectives lointaines à l'histoire de la musique, Arnold Schönberg déclarait en 1921 que, grâce à lui, la domination (il n'a pas dit « gloire », il a dit « Vorherrschaft », « domination ») de la musique allemande (lui, Viennois, il n'a pas dit musique « autrichienne », il a dit « allemande ») serait assurée pour les cent prochaines années (je le cite exactement, il a parlé de « cent années »). Douze ans après cette prophétie, en 1933, il a été banni, en tant que Juif, de l'Allemagne (celle-là même à laquelle il voulait assurer sa «Vorherr-schaft»), et, avec lui, toute la musique fon-dée sur son esthétique de douze notes (condamnée comme incompréhensible, élitiste, cosmopolite et hostile à l'esprit allemand).

Le pronostic de Schönberg, si trompeur soit-il, reste pourtant indispensable pour qui veut comprendre le sens de son œuvre, laquelle se croyait non pas destructrice, hermétique, cosmopolite, individualiste, difficile, abstraite, mais profondément en-racinée dans le «sol allemand» (oui, il par-lait du «sol allemand»); Schönberg croyait qu'il était en train d'écrire non pas un fas-cinant épilogue de l'histoire de la grande musique européenne (c'est ainsi que je suis enclin à comprendre son œuvre) mais le prologue d'un glorieux avenir qui s'étendait à perte de vue.

4

Dès les premières semaines de l'émigration, Irena faisait des rêves étranges : elle est dans un avion qui change de direction et atterrit sur un aéroport inconnu ; des hommes en uniforme, armés, l'attendent au pied de la passerelle ; une sueur froide sur le front, elle reconnaît la police tchèque. Une autre fois, elle se balade dans une petite ville française quand elle voit un curieux groupe de femmes qui, chacune une chope de bière à la main, courent vers elle, l'apostrophent en tchèque, rient avec une cordialité perfide, et, épouvantée, Irena se rend compte qu'elles sont au service de la police secrète, qu'elle est à Prague, elle crie, elle se réveille.

Martin, son mari, faisait les mêmes rêves. Tous les matins ils se racontaient l'horreur de leur retour au pays natal. Puis, au cours d'une conversation avec une amie polonaise, elle aussi émigrée, Irena comprit que tous les émigrés faisaient ces rêves, tous, sans exception ; elle fut d'abord émue de cette fraternité nocturne de gens qui ne se connaissaient pas, plus tard un peu agacée : comment l'expérience si intime d'un rêve peut-elle être vécue collectivement ? qu'est donc son âme unique ? Mais à quoi bon des questions sans réponses. Une chose était sûre : des milliers d'émigrés, pendant la même nuit, en d'innombrables variantes, rêvaient tous le même rêve. Le rêve d'émigration : l'un des phénomènes les plus étranges de la seconde moitié du XXe siècle.

Ces rêves-cauchemars lui apparaissaient d'autant plus mystérieux qu'elle souffrait en même temps d'une indomptable nostalgie et faisait une autre expérience, tout à fait contraire : des paysages de son pays venaient, le jour, se montrer à elle. Non, ce n'était pas une rêverie, longue et consciente, voulue, c'était tout autre chose : des apparitions de paysages s'allumaient dans sa tête, inopinément, brusquement, rapidement, pour aussitôt s'éteindre. Elle parlait avec son chef et tout d'un coup, comme un éclair, elle voyait un chemin à travers champs. Elle était bousculée dans un wagon de métro et, soudain, une petite allée dans un quartier vert de Prague surgissait devant elle pendant un fragment de seconde. Toute la journée, ces images fugaces lui rendaient visite pour pallier le manque de sa Bohême perdue.

Le même cinéaste du subconscient qui, le jour, lui envoyait des morceaux du paysage natal telles des images de bonheur, organisait, la nuit, des retours effrayants dans ce même pays. Le jour était illuminé par la beauté du pays abandonné, la nuit par l'horreur d'y retourner. Le jour lui montrait le paradis qu'elle avait perdu, la nuit l'enfer qu'elle avait fui.

5

Fidèles à la tradition de la Révolution française, les États communistes ont jeté l'anathème sur l'émigration, considérée comme la plus odieuse des trahisons. Tous ceux qui étaient restés à l'étranger étaient condamnés par contumace dans leur pays et leurs compatriotes n'osaient pas avoir de contacts avec eux. Pourtant, à mesure que le temps passait, la sévérité de l'anathème s'affaiblissait et, quelques années avant 1989, la mère d'Irena, veuve toute récente, retraitée inoffensive, obtint son visa pour passer, avec une agence de voyages d'État, une semaine en Italie; l'année suivante, elle décida de rester cinq jours à Paris et de voir secrètement sa fille. Émue, pleine de pitié pour une mère qu'elle imaginait vieillie, Irena lui réserva une chambre à l'hôtel et sacrifia un bout de ses vacances pour pouvoir être tout le temps avec elle.

«Tu n'as pas l'air si mal», lui dit la mère quand elles se virent. Puis, en riant, elle ajouta: «Moi non plus, d'ailleurs. Quand le policier à la frontière a regardé mon passeport, il m'a dit: c'est un faux passeport, madame! ce n'est pas votre date de naissance!» D'emblée, Irena retrouva sa mère telle qu'elle l'avait toujours connue et eut le sentiment que rien n'avait changé après ces presque vingt ans. La pitié pour une mère vieillie s'évapora. La fille et la mère se firent face comme deux êtres hors du temps, comme deux essences intemporelles.

Mais n'est-ce pas très mal qu'une fille ne se réjouisse pas de la présence de sa mère qui, après dix-sept ans, est venue la voir ? Irena mobilisa toute sa raison, tout son sens moral, pour se comporter en fille dévouée. Elle l'emmena dîner au restaurant panoramique de la tour Eiffel ; elle prit un bateau de promenade pour lui montrer Paris depuis la Seine ; et puisque la mère voulait visiter des expositions, elle alla avec elle au musée Picasso. Dans la deuxième salle, la mère s'attarda : « J'ai une amie qui est peintre. Elle m'a donné deux tableaux comme cadeau. Tu ne peux imaginer comme ils sont beaux ! » Dans la troisième salle, elle désira voir les impressionnistes : « Au Jeu de Paume il y a une exposition permanente. — Cela n'existe plus, dit Irena, les impressionnistes ne sont plus au Jeu de Paume. — Si, si, dit la mère. Ils sont au Jeu de Paume. Je le sais et je ne quitterai pas Paris sans voir Van Gogh ! » Au lieu de Van Gogh, Irena lui offrit le musée Rodin. Devant l'une de ses statues, la mère soupira, rêveuse : «À Florence, j'ai vu le David de Michel-Ange! Je suis restée sans voix! — Écoute, explosa Irena, tu es à Paris avec moi, je te montre Rodin. Rodin! Tu entends, Rodin! Tu ne l'as jamais vu, pourquoi donc, devant Rodin, penses-tu à Michel-Ange?»

La question était juste : pourquoi la mère, quand elle retrouve sa fille après des années, ne s'intéresse-t-elle pas à ce que celle-ci lui montre et lui dit? Pourquoi Michel-Ange, qu'elle a vu avec un groupe de touristes tchèques, la captive-t-il plus que Rodin? Et pourquoi, tout au long de ces cinq jours, ne lui pose-t-elle aucune question? Aucune question sur sa vie, et aucune non plus sur la France, sur sa cuisine, sa littérature, ses fromages, ses vins, sa politique, ses théâtres, ses films, ses automobiles, ses pianistes, ses violoncellistes, ses footballeurs?

Au lieu de cela, elle n'arrête pas de parler de ce qui se passe à Prague, du demi-frère d'Irena (qu'elle a eu de son second mari, mort depuis peu), d'autres personnes dont Irena se souvient et d'autres dont elle n'a jamais entendu le nom. Elle a essayé deux ou trois fois de placer une remarque sur sa vie en France mais ces mots n'ont pas franchi la barrière sans faille du discours de la mère.

C'est ainsi depuis son enfance : tandis que la mère s'occupait tendrement de son fils comme d'une fillette, elle était envers sa fille virilement spartiate. Veux-je dire qu'elle ne l'aimait pas ? À cause, peut-être, du père d'Irena, son premier mari qu'elle avait méprisé ? Gardons-nous de cette psychologie de pacotille. Son comportement était le mieux intentionné : débordant de force et de santé, elle s'inquiétait du manque de vitalité de sa fille ; par ses manières rudes, elle voulait la débarrasser de son hypersensibilité, à peu près comme un père sportif qui jette son enfant timoré dans la piscine, persuadé d'avoir trouvé la meilleure façon de lui apprendre à nager.

Pourtant, elle savait bien que sa simple présence écrasait sa fille et je ne veux pas nier qu'elle éprouvait un plaisir secret de sa propre supériorité physique. Mais alors ? Que devait-elle faire ? Se volatiliser au nom de l'amour maternel ? Son âge avançait inexorablement et la conscience de sa force, telle qu'elle se reflétait dans la réaction d'Irena, la rajeunissait. Quand elle la voyait près d'elle, intimidée et diminuée, elle prolongeait le plus possible les moments de sa suprématie. Avec un zeste de sadisme, elle feignait de tenir la fragilité d'Irena pour de l'indifférence, de la paresse, de l'indolence, et la réprimandait.

Depuis toujours, en sa présence, Irena se sentait moins jolie et moins intelligente. Combien de fois avait-elle couru vers la glace pour s'assurer qu'elle n'était pas laide, qu'elle n'avait pas l'air d'une idiote... Ah, tout cela était si loin, presque oublié. Mais pendant les cinq jours que la mère passa à Paris, cette sensation d'infériorité, de faiblesse, de dépendance, tomba de nouveau sur elle.

6

La veille de son départ, Irena lui présenta Gustaf, son ami suédois. Ils dînèrent tous les trois dans un restaurant, et la mère qui ne connaissait pas un seul mot de français se servit vaillamment de l'anglais. Gustaf s'en réjouit : avec sa maîtresse, il ne parlait qu'en français et se sentait las de cette langue qu'il jugeait prétentieuse et peu pratique. Ce soir-là, Irena fut peu loquace : étonnée, elle observa sa mère qui manifestait une capacité inattendue de s'intéresser à autrui ; avec ses trente mots d'anglais mal prononcés, elle submergea Gustaf de questions sur sa vie, sur son entreprise, sur ses opinions, et l'impressionna.

Le lendemain, la mère partit. À son retour de l'aéroport, dans son appartement au dernier étage, Irena alla à la fenêtre pour savourer, dans un calme retrouvé, la liberté de sa solitude. Elle regarda longuement les toits, la diversité des cheminées aux formes les plus fantasques, cette flore parisienne qui depuis longtemps avait remplacé pour elle la verdure des jardins tchèques, et elle se rendit compte combien elle était heureuse dans cette ville. Elle avait toujours considéré comme une évidence que son émigration était un malheur. Mais, se demande-t-elle en cet instant, n'était-ce pas plutôt une illusion de malheur, une illusion suggérée par la façon dont tout le monde perçoit un émigré ? Ne lisait-elle pas sa propre vie d'après un mode d'emploi que les autres lui avaient glissé entre les mains ? Et elle se dit que son émigration, bien qu'imposée de l'extérieur, contre sa volonté, était peut-être, à son insu, la meilleure issue à sa vie. Les forces implacables de l'Histoire qui avaient attenté à sa liberté l'avaient rendue libre.

Elle fut donc un peu déconcertée quelques semaines plus tard quand Gustaf lui annonça fièrement une bonne nouvelle : il avait suggéré à sa firme d'ouvrir une agence à Prague. Le pays communiste n'étant pas commercialement très attirant, l'agence serait modeste, pourtant il aurait l'occasion de séjourner là-bas de temps en temps.

«Je suis ravi d'entrer en contact avec ta ville», dit-il.

Au lieu de se réjouir, elle ressentit comme une vague menace.

«Ma ville? Prague n'est plus ma ville, répondit-elle.

— Comment!» s'offusqua-t-il.

Elle ne lui dissimulait jamais ce qu'elle pensait, il avait donc la possibilité de bien la connaître; pourtant il la voyait exactement comme tout le monde la voyait : *une jeune femme qui souffre, bannie de son pays.* Lui-même vient d'une ville suédoise qu'il déteste cordialement et où il se défend de remettre les pieds. Mais dans son cas, c'est normal. Car tout le monde l'applaudit comme *un sympathique Scandinave très cosmopolite qui a déjà oublié où il est né.* Tous deux sont classés, étiquetés, et c'est selon la fidélité à leur étiquette qu'on les jugera (mais, bien sûr, c'est cela et rien d'autre que l'on appelle avec emphase : être fidèle à soi-même).

«Quelle est donc ta ville?

— Paris! C'est là que je t'ai rencontré, que je vis avec toi.»

Comme s'il ne l'entendait pas, il lui caressa la main : «Accepte cela comme un cadeau. Tu ne peux pas y aller. Je te servirai de lien avec ton pays perdu. J'en serai heureux!»

Elle ne doutait pas de sa bonté; elle le remercia; pourtant, elle ajouta sur un ton posé : «Mais je te prie de comprendre que je n'ai pas besoin que tu me serves de lien avec quoi que ce soit. Je suis heureuse avec toi, coupée de tout et de tous.»

Lui aussi se fit grave : «Je te comprends. Et n'aie pas peur que je veuille m'intéresser à ta vie passée. La seule personne que je verrai parmi les gens que tu as connus, c'est ta mère.»

Que pouvait-elle lui dire? Que c'est précisément sa mère qu'elle ne veut pas qu'il fréquente? Comment le lui dire, à lui qui se souvient avec un tel amour de sa maman décédée?

«J'admire ta mère. Sa vitalité!»

Irena n'en doute pas. Tout le monde admire sa mère pour sa vitalité. Comment expliquer à Gustaf que dans le cercle magique de la force maternelle Irena n'a jamais réussi à gouverner sa propre vie? Comment lui expliquer que la constante proximité de la mère la rejetterait en arrière, dans ses faiblesses, dans son immaturité? Ah, quelle idée folle de Gustaf que de vouloir se lier à Prague !

Ce n'est qu'à la maison, une fois seule, qu'elle se calma en se rassurant : « La barrière policière entre les pays communistes et l'Occident est, Dieu merci, assez solide. Je n'ai pas à craindre que les contacts de Gustaf avec Prague puissent me menacer. »

Quoi ? Que vient-elle de se dire? « La barrière policière est, Dieu merci, assez solide » ? S'est-elle vraiment dit « Dieu merci » ? Elle, une émigrée que tout le monde plaint d'avoir perdu sa patrie, elle s'est dit « Dieu merci » ?

7

Gustaf avait connu Martin par hasard, pendant une négociation commerciale. Il rencontra Irena beaucoup plus tard, alors qu'elle était déjà veuve. Ils se plurent, mais ils étaient timides. Alors, le mari accourut de l'au-delà à leur secours en s'offrant comme sujet de conversation facile. Quand Gustaf apprit d'Irena que Martin était né la même année que lui, il entendit s'effondrer le mur qui le séparait de cette femme tellement plus jeune et il ressentit une reconnaissante sympathie pour le mort dont l'âge l'encouragea à faire la cour à sa belle veuve.

Il vénérait sa maman disparue, il tolérait (sans plaisir) deux filles déjà adultes, il fuyait son épouse. Il aurait bien aimé divorcer si cela avait pu se faire à l'amiable. Puisque c'était impossible, il faisait ce qu'il pouvait pour rester loin de la Suède. Comme lui, Irena avait deux filles, elles aussi au seuil de leur vie indépendante. À l'aînée Gustaf acheta un studio, pour la cadette il trouva un internat en Angleterre, si bien qu'Irena, restée seule, pouvait l'accueillir chez elle.

Elle était éblouie par sa bonté qui apparaissait à tout le monde comme le trait

principal, le plus frappant, presque impro-
bable, de son caractère. Il en charmait les
femmes qui comprenaient trop tard que
cette bonté était moins une arme de séduction qu'une arme de défense. Enfant chéri
de sa mère, il était incapable de vivre
seul, sans les soins de femmes. Mais il supportait d'autant plus mal leurs exigences,
leurs disputes, leurs pleurs et même leurs
corps trop présents, trop expansifs. Pour
pouvoir les garder et en même temps les
fuir, il tirait contre elles des obus de bonté.
Abrité derrière le nuage de l'explosion, il
battait en retraite.

Face à sa bonté, Irena fut d'abord
décontenancée : pourquoi était-il si gen-
til, si généreux, si dépourvu d'exigences ?
Comment pouvait-elle le payer de retour ?
Elle ne trouva d'autre récompense que
d'arborer devant lui son désir. Elle fixait
sur lui ses yeux grands ouverts qui exi-
geaient quelque chose d'immense et d'enivrant qui n'avait pas de nom.

Son désir ; la triste histoire de son désir.
Elle n'avait connu aucun plaisir d'amour
avant de rencontrer Martin. Puis elle avait

accouché, était passée de Prague en France alors qu'elle était de nouveau enceinte et, peu après, Martin était mort. Elle avait traversé ensuite de longues années pénibles, forcée d'accepter n'importe quel travail, femme de ménage, aide-soignante d'un riche paraplégique, et ce fut déjà un grand succès quand elle put faire des traductions de russe en français (heureuse d'avoir étudié assidûment les langues à Prague). Les années passaient et sur les affiches, sur les panneaux publicitaires, à la une des magazines étalés dans les kiosques, des femmes se déshabillaient, des couples s'embrassaient, des hommes s'exhibaient en slip tandis qu'au milieu de cette orgie omniprésente son corps déambulait par les rues, délaissé, invisible.

C'est pourquoi sa rencontre avec Gustaf avait été une fête. Après un temps si long, son corps, son visage étaient enfin vus, appréciés, et grâce à leur charme un homme l'avait invitée à partager sa vie. C'est au milieu de cet enchantement que sa mère l'avait surprise à Paris. Mais peut-être à cette même époque, ou un tout petit peu plus tard, elle commença à soupçonner vaguement que son corps n'avait pas entièrement échappé au sort qui, apparemment, lui avait été destiné une fois pour toutes. Que lui, qui fuyait sa femme, ses femmes, ne cherchait pas auprès d'elle une aventure, une nouvelle jeunesse, une liberté des sens, mais un repos. N'exagérons rien, son corps ne restait pas intouché mais le soupçon croissait en elle qu'il était touché moins qu'il ne le méritait.

8

Le communisme en Europe s'éteignit exactement deux cents ans après que se fut enflammée la Révolution française. Pour Sylvie, l'amie parisienne d'Irena, il y avait là une coïncidence pleine de sens. Mais de quel sens, en fait ? Quel nom donner à l'arc de triomphe qui enjambe ces deux dates majestueuses ? *L'Arc des deux Plus Grandes Révolutions Européennes* ? Ou *L'Arc unissant la Plus Grande Révolution à la Restauration Finale* ? Pour éviter les disputes idéologiques, je propose pour notre usage une interprétation plus modeste : la première date a fait naître un grand personnage européen, l'Émigré (le Grand Traître ou le Grand Souffrant, comme on veut) ; la seconde a fait sortir l'Émigré de la scène de l'histoire des Européens ; du même coup, le grand cinéaste du subconscient collectif a mis fin à l'une de ses productions les plus originales, celle des rêves d'émigration. C'est alors qu'eut lieu, pendant quelques jours, le premier retour d'Irena à Prague.

Quand elle partit il faisait très froid et puis, au bout de trois jours, soudain, inopinément, précocement, arriva l'été. Son tailleur, très épais, devint inutilisable. N'ayant pas apporté de vêtements légers, elle alla s'acheter une robe dans une boutique. Le pays ne regorgeait pas encore des marchandises de l'Occident et elle retrouva les mêmes tissus, les mêmes couleurs, les mêmes coupes qu'elle avait connus à l'époque communiste. Elle essaya deux ou trois robes et fut embarrassée. Difficile de dire pourquoi : elles n'étaient pas laides, leur coupe n'était pas mauvaise, mais elles lui rappelaient son passé lointain, l'austérité vestimentaire de sa jeunesse, elles lui parurent naïves, provinciales, inélégantes, bonnes pour une institutrice de campagne. Mais elle était pressée. Pourquoi, après tout, ne pas ressembler pour quelques jours à une institutrice de campagne ? Elle acheta la robe à un prix ridicule, la garda sur elle et, son tailleur d'hiver dans le sac, sortit dans la rue surchauffée.

Puis, passant par un grand magasin, elle se trouva inopinément devant une paroi recouverte d'un immense miroir et resta stupéfaite : celle qu'elle voyait n'était pas elle, c'était une autre ou, quand elle se regarda plus longuement dans sa nouvelle robe, c'était elle mais vivant une autre vie, la vie qu'elle aurait eue si elle était restée au pays. Cette femme n'était pas antipathique, elle était même touchante, mais un peu trop touchante, touchante à pleurer, pitoyable, pauvre, faible, soumise.

Elle fut saisie de la même panique qu'autrefois dans ses rêves d'émigration :

par la force magique d'une robe, elle se voyait emprisonnée dans une vie dont elle ne voulait pas et dont elle ne serait plus capable de sortir. Comme si, jadis, au début de sa vie adulte, elle avait eu devant elle plusieurs vies possibles parmi lesquelles elle avait fini par choisir celle qui l'avait amenée en France. Et comme si ces autres vies, refusées et abandonnées, restaient toujours prêtes pour elle et la guettaient jalousement depuis leurs abris. L'une d'elles s'emparait maintenant d'Irena et l'enserrait dans sa nouvelle robe comme dans une camisole de force.

Effrayée, elle courut chez Gustaf (il avait un pied-à-terre dans le centre-ville) et se changea. De nouveau dans son tailleur d'hiver, elle regarda par la fenêtre. Le ciel était couvert et les arbres fléchissaient sous le vent. Il n'avait fait chaud que quelques heures. Quelques heures de chaleur pour lui jouer un tour de cauchemar, pour lui parler de l'horreur du retour.

(Était-ce un rêve? Son dernier rêve d'émigration? Mais non, tout cela était réel. Toutefois, elle eut l'impression que les pièges dont ces rêves d'autrefois lui avaient parlé n'avaient pas disparu, qu'ils étaient toujours là, toujours prêts, guettant son passage.)

9

Pendant les vingt ans de son absence, les Ithaquois gardaient beaucoup de souvenirs d'Ulysse, mais ne ressentaient pour lui aucune nostalgie. Tandis qu'Ulysse souffrait de nostalgie et ne se souvenait de presque rien.

On peut comprendre cette curieuse contradiction si on se rend compte que la mémoire, pour qu'elle puisse bien fonctionner, a besoin d'un entraînement incessant : si les souvenirs ne sont pas évoqués, encore et encore, dans les conversations entre amis, ils s'en vont. Les émigrés regroupés dans des colonies de compatriotes se racontent jusqu'à la nausée les mêmes histoires qui, ainsi, deviennent inoubliables. Mais ceux qui ne fréquentent pas leurs compatriotes, comme Irena ou Ulysse, sont inévitablement frappés d'amnésie. Plus leur nostalgie est forte, plus elle se vide de souvenirs. Plus Ulysse languissait, plus il oubliait. Car la nostalgie n'intensifie pas l'activité de la mémoire, elle n'éveille pas de souvenirs, elle se suffit à elle-même, à sa propre émotion, tout absorbée qu'elle est par sa seule souffrance.

Après avoir tué les téméraires qui voulaient épouser Pénélope et régner sur Ithaque, Ulysse fut obligé de vivre avec des gens dont il ne savait rien. Eux, pour le flatter, lui rabâchaient tout ce qu'ils se rappelaient de lui avant son départ pour la guerre. Et, convaincus que rien d'autre que son Ithaque ne l'intéressait (comment auraient-ils pu ne pas le penser puisqu'il avait parcouru l'immensité des mers pour y revenir?), ils lui serinaient ce qui s'était passé pendant son absence, avides de répondre à toutes ses questions. Rien ne l'ennuyait plus que cela. Il n'attendait qu'une seule chose : qu'ils lui disent enfin : Raconte! Et c'est le seul mot qu'ils ne lui dirent jamais.

Pendant vingt ans il n'avait pensé qu'à son retour. Mais une fois rentré, il comprit, étonné, que sa vie, l'essence même de sa vie, son centre, son trésor, se trouvait hors d'Ithaque, dans les vingt ans de son errance. Et ce trésor, il l'avait perdu et n'aurait pu le retrouver qu'en racontant.

Après avoir quitté Calypso, pendant son voyage de retour, il avait fait naufrage en Phéacie où le roi l'avait accueilli à sa cour. Là, il était un étranger, un inconnu mystérieux. À un inconnu on demande : « Qui es-tu ? D'où viens-tu ? Raconte ! » Et il avait raconté. Pendant quatre longs chants de *L'Odyssée*, il avait retracé en détail ses aventures devant les Phéaciens ébahis. Mais à Ithaque il n'était pas un étranger, il était l'un des leurs et c'est pourquoi l'idée ne venait à personne de lui dire : « Raconte ! »

10

Elle a feuilleté ses anciens carnets d'adresses, s'arrêtant longuement sur des noms à demi oubliés ; puis elle a réservé un salon dans un restaurant. Sur une longue table appuyée au mur, à côté des assiettes de petits-fours, douze bouteilles attendent, rangées. En Bohême, on ne boit pas de bon vin et on n'a pas l'habitude de garder d'anciens millésimes. Elle a acheté ce vieux vin de bordeaux avec d'autant plus de plaisir : pour surprendre ses invitées, pour leur faire fête, pour regagner leur amitié.

Elle a failli tout gâcher. Gênées, ses amies observent les bouteilles jusqu'à ce que l'une d'elles, pleine d'assurance et fière de sa simplicité, proclame sa préférence pour la bière. Ragaillardies par ce franc-parler, les autres acquiescent et la fervente de bière appelle le garçon.

Irena se reproche d'avoir commis une faute avec sa caisse de bordeaux ; d'avoir bêtement mis en lumière tout ce qui les sépare : sa longue absence du pays, ses habitudes d'étrangère, son aisance. Elle se le reproche d'autant plus qu'elle accorde une grande importance à cette rencontre : elle veut enfin comprendre si elle peut vivre ici, s'y sentir chez elle, y avoir des amis. C'est pourquoi elle ne veut pas se vexer de cette petite goujaterie, elle est même prête à y voir une franchise sympathique ; d'ailleurs, la bière à laquelle ses invitées ont manifesté leur fidélité n'est-elle pas le saint breuvage de la sincérité ? le philtre qui dissipe toute hypocrisie, toute comédie des bonnes manières ? qui n'incite ses amateurs qu'à uriner en toute innocence, qu'à grossir en toute candeur ? En effet, les femmes autour d'elle sont chaleureusement grosses, elles ne cessent de parler, débordent de bons conseils et font l'éloge de Gustaf dont elles connaissent toutes l'existence.

Entre-temps le garçon apparaît dans la porte avec dix chopes d'un demi-litre de bière, cinq dans chaque main, grande performance athlétique provoquant des applaudissements et des rires. Elles lèvent les chopes et trinquent : «À la santé d'Irena ! À la santé de la fille retrouvée !»

Irena boit une modeste gorgée de bière, se disant : Et si c'était Gustaf qui leur avait offert le vin ? L'auraient-elles refusé ?

Bien sûr que non. En refusant le vin c'est elle qu'elles ont refusée. Elle, telle qu'elle est revenue après tant d'années.

Et là, justement, réside son pari : qu'elles l'acceptent telle qu'elle est revenue. Elle est partie d'ici, jeune femme naïve, et elle revient mûre, avec une vie derrière elle, une vie difficile dont elle est fière. Elle veut tout faire pour qu'elles l'acceptent avec son expérience des vingt dernières années, avec ses convictions, avec ses idées ; ce sera quitte ou double : ou bien elle réussit à être parmi elles telle qu'elle est devenue, ou bien elle ne restera pas ici. Elle a organisé cette rencontre comme point de départ de son offensive. Qu'elles boivent de la bière si elles s'y obstinent, ça ne la dérange pas, ce qui lui importe c'est de choisir elle-même le sujet de la conversation et de se faire entendre.

Mais le temps passe, les femmes parlent toutes à la fois et il est presque impossible d'entamer une conversation, encore moins de lui imposer un contenu. Elle essaie délicatement de reprendre les sujets qu'elles avancent et de les faire bifurquer vers ce qu'elle voudrait leur dire, mais elle échoue : dès que ses propos s'éloignent de leurs préoccupations, aucune ne l'écoute.

Le garçon a déjà apporté la deuxième tournée de bière ; sur la table reste toujours sa première chope qui, avec sa mousse retombée, est comme déshonorée à côté de la mousse exubérante de la chope nouvelle. Irena se reproche de n'avoir plus de goût pour la bière ; elle a appris en France à savourer la boisson par petites gorgées et s'est déshabituée d'avaler une abondance de liquide comme l'amour de la bière l'exige. Elle lève la chope vers sa bouche et s'efforce de boire deux, trois lampées d'un seul trait. À ce moment, une femme, la plus âgée de toutes, dans la soixantaine, lui pose tendrement la main sur les lèvres pour essuyer la mousse qui y est restée.

«Ne te force pas, lui dit-elle. Si nous prenions du vin ensemble ? Ce serait idiot de louper un si bon vin», et elle s'adresse au garçon pour qu'il ouvre l'une des bouteilles qui demeurent intactes sur la longue table.

11

Milada était une collègue de Martin
avec qui elle travaillait dans le même ins-
titut. Dès qu'elle est apparue à la porte du
salon, Irena l'a reconnue, mais maintenant seulement, l'une et l'autre un verre
de vin à la main, elle peut lui parler ; elle
la regarde : son visage garde toujours la
même forme (ronde), les mêmes cheveux
bruns, la même coiffure (elle aussi ronde,
couvrant les oreilles et descendant au-dessous du menton). Elle donne l'impression
de n'avoir pas changé ; seulement, quand
elle commence à parler, son visage, subitement, se transforme : sa peau se plisse
et se replisse, sa lèvre supérieure se couvre
de minces raies verticales tandis que des
rides, sur ses joues et sur son menton,
changent de position, rapidement, à
chaque mimique. Irena se dit que Milada
ne s'en rend certainement pas compte :
personne ne se parle à soi-même devant
un miroir ; elle ne connaît donc son visage
qu'immobile, avec la peau presque lisse ;

tous les miroirs du monde lui font croire qu'elle est toujours belle.

Tout en savourant le vin, Milada dit (sur son beau visage, immédiatement, les rides surgissent et se mettent à danser) : «Ce n'est pas facile, un retour, n'est-ce pas?

— Elles ne peuvent pas comprendre que nous sommes partis sans garder le moindre espoir de revenir. Nous nous sommes efforcés de nous ancrer là où nous étions. Tu connais Skacel?

— Le poète?

— Dans un quatrain il parle de sa tristesse, il dit vouloir en bâtir une maison et s'y enfermer pour trois cents ans. Trois cents ans. Nous avons tous vu devant nous un tunnel long de trois cents ans.

— Mais oui, nous aussi, ici.

— Alors pourquoi ne veut-on plus le savoir?

— Parce qu'on corrige ses sentiments si les sentiments se sont trompés. Si l'Histoire les a désavoués.

— Et puis : tout le monde pense que nous sommes partis pour avoir une vie facile. Ils ne savent pas combien c'est difficile de se faire une petite place à soi dans un monde étranger. Tu te rends compte, quitter le pays avec un bébé et en avoir un autre dans le ventre. Perdre son mari. Élever ses deux filles dans la misère… »

Elle se tait et Milada dit : « Ça n'a aucun sens de leur raconter tout cela. Récemment encore, tout le monde se disputait, chacun voulant prouver qu'il avait souffert plus que l'autre sous l'ancien régime. Tout le monde voulait être reconnu victime. Mais ces compétitions de souffrance sont terminées. Aujourd'hui, on se vante du succès, pas de la souffrance. Si on est prêt à te respecter, ce n'est donc pas pour ta vie difficile, mais parce qu'on te voit avec un homme riche à tes côtés ! »

Elles se parlent depuis un long moment dans un coin de la pièce quand les autres s'approchent et les entourent. Comme si elles se reprochaient de ne pas s'occuper assez de leur amphitryonne, elles sont bavardes (l'ivresse de la bière rend plus bruyant et plus bonasse que celle du vin) et affectueuses. La femme qui, dès le début de leur réunion, a réclamé de la bière s'exclame : «Il faut quand même que je goûte ton vin!» et elle appelle le garçon qui ouvre d'autres bouteilles et remplit des verres.

Irena est sous l'emprise d'une vision soudaine : des chopes de bière à la main et riant bruyamment, un groupe de femmes accourt vers elle qui distingue des mots tchèques et comprend, avec effroi, qu'elle n'est pas en France, qu'elle est à Prague et qu'elle est perdue. Ah oui, un de ses vieux rêves d'émigration dont elle chasse vite le souvenir : ces femmes autour d'elle ne boivent d'ailleurs plus de bière, elles lèvent des verres de vin et trinquent encore une fois à la fille retrouvée; puis l'une d'elles, rayonnante, lui dit : «Tu te rappelles? Je t'ai écrit qu'il est grand temps, grand temps que tu reviennes!»

Qui est cette femme? Toute la soirée, elle n'a cessé de parler de la maladie de son mari, s'attardant, excitée, sur tous les détails morbides. Enfin, Irena la reconnaît : sa camarade de lycée qui, la semaine même où le communisme est tombé, lui a écrit :

«Oh, ma chère, nous sommes déjà vieilles!
Il est grand temps que tu reviennes!»
Encore une fois, elle répète cette phrase et,
dans son visage épaissi, un grand sourire
dévoile un dentier.

Les autres femmes l'assaillent de questions: «Irena, tu te rappelles quand...»
Et: «Tu sais ce qui s'est passé alors
avec...?» «Mais non, quand même, tu
dois te souvenir de lui!» «Ce mec avec de
grandes oreilles, tu t'es toujours moquée
de lui!» «Mais tu ne peux pas l'avoir
oublié! Il ne parle que de toi!»

Jusqu'alors elles ne s'intéressaient pas
à ce qu'elle tentait de leur raconter. Que
signifie cette offensive soudaine? Que veulent apprendre celles qui n'ont rien voulu
entendre? Elle comprend vite que leurs
questions sont spéciales: des questions
pour contrôler si elle connaît ce qu'elles
connaissent, si elle se souvient de ce dont
elles se souviennent. Cela lui fait une
étrange impression qui ne la quittera plus.

D'abord, par leur désintérêt total envers
ce qu'elle a vécu à l'étranger, elles l'ont
amputée d'une vingtaine d'années de vie.

Maintenant, par cet interrogatoire, elles essaient de recoudre son passé ancien et sa vie présente. Comme si elles l'amputaient de son avant-bras et fixaient la main directement au coude ; comme si elles l'amputaient des mollets et joignaient ses pieds aux genoux.

Médusée par cette image, elle ne peut rien répondre à leurs questions ; les femmes, d'ailleurs, ne s'y attendent même pas et, de plus en plus ivres, retournent à leurs parlotes dont Irena est écartée. Elle voit leurs bouches qui s'ouvrent toutes en même temps, des bouches qui bougent, émettent des mots et éclatent sans cesse de rire (mystère : comment des femmes qui ne s'écoutent pas peuvent-elles rire de ce qu'elles se disent ?). Aucune ne s'adresse plus à Irena mais toutes rayonnent de bonne humeur, la femme qui au début a commandé la bière se met à chanter, les autres en font autant et, la soirée finie, même dans la rue, elles chantent.

Au lit, elle récapitule sa soirée ; encore une fois son vieux rêve d'émigration lui revient et elle se voit entourée de femmes, bruyantes et cordiales, levant des chopes de bière. Dans le rêve, elles étaient au service de la police secrète, ayant pour ordre de la piéger. Mais au service de qui étaient les femmes d'aujourd'hui ? « Il est grand temps que tu reviennes », lui a dit sa vieille condisciple au dentier macabre. Émissaire des cimetières (des cimetières de la patrie), elle était chargée de la rappeler à l'ordre : l'avertir que le temps presse et qu'il faut que la vie finisse là où elle a commencé.

Puis elle pense à Milada qui a été si maternellement amicale ; elle lui a fait comprendre que plus personne ne s'intéresse à son odyssée, et Irena se dit que, d'ailleurs, Milada ne s'y est pas intéressée non plus. Mais comment le lui reprocher ? Pourquoi devrait-elle s'intéresser à ce qui n'a aucun rapport avec sa propre vie ? Ce ne serait qu'une comédie de politesse et Irena est heureuse que Milada ait été si aimable, sans aucune comédie.

Sa dernière pensée avant de s'endormir est pour Sylvie. Il y a déjà si longtemps qu'elle ne l'a pas vue ! Elle lui manque !

Irena aimerait l'inviter au bistro et lui raconter ses derniers voyages en Bohême. Lui faire comprendre la difficulté du retour. C'est d'ailleurs toi, imagine-t-elle de lui dire, qui la première as prononcé ces mots : Grand Retour. Et tu sais, Sylvie, aujourd'hui j'ai compris : je pourrais vivre à nouveau avec eux, mais à condition que tout ce que j'ai vécu avec toi, avec vous, avec les Français, je le dépose solennellement sur l'autel de la patrie et que j'y mette le feu. Vingt ans de ma vie passés à l'étranger se changeront en fumée au cours d'une cérémonie sacrée. Et les femmes chanteront et danseront avec moi autour du feu avec des chopes de bière dans leurs mains levées. C'est le prix à payer pour que je sois pardonnée. Pour que je sois acceptée. Pour que je redevienne l'une d'elles.

12

Un jour, à l'aéroport de Paris, elle passa le contrôle de police et alla s'asseoir dans la salle d'attente. Sur le banc d'en face, elle vit un homme et, après deux secondes d'incertitude et d'étonnement, elle le reconnut. Agitée, elle attendit le moment que leurs regards se rencontrent et elle sourit. Lui aussi sourit et inclina légèrement la tête. Elle se leva et alla vers lui qui se leva à son tour.

«On s'est connus à Prague, n'est-ce pas?» lui dit-elle en tchèque. «Tu te souviens encore de moi?

— Bien sûr.

— Je t'ai reconnu tout de suite. Tu n'as pas changé.

— Tu exagères.

— Non, non. Tu es toujours comme avant. Mon Dieu, tout cela est si loin.» Puis, en riant: «Je te suis reconnaissante de me reconnaître!» Et puis: «Pendant tout ce temps, tu es resté au pays?

— Non.

— Tu as émigré?

— Oui.

— Et tu as vécu où? En France?

— Non.»

Elle soupira: «Ah, si tu avais vécu en

France et qu'on ne se rencontre qu'au-jourd'hui...

— C'est tout à fait par hasard que je passe par Paris. Je vis au Danemark. Et toi?

— Ici. À Paris. Mon Dieu. Je ne peux en croire mes yeux. Comment as-tu vécu tout ce temps? Tu as pu exercer ton métier?

— Oui. Et toi?

— J'ai dû en faire à peu près sept.

— Je ne te demande pas combien d'hommes tu as eus.

— Non, ne me demande pas. Moi, je te promets de ne pas te poser ce genre de questions non plus.

— Et maintenant? Tu es rentrée?

— Pas tout à fait. J'ai toujours mon appartement à Paris. Et toi?

— Moi non plus.

— Mais tu y retournes souvent.

— Non. C'est la première fois, dit-il.

— Ah, si tard! Tu ne t'es pas senti trop pressé!

— Non.

— Tu n'as pas d'obligations en Bohême?

— Je suis un homme absolument libre. »

Il avait dit cela posément et avec une certaine mélancolie qu'elle remarqua.

Dans l'avion, sa place était à l'avant près du couloir et plusieurs fois elle se retourna pour le regarder. Jamais elle n'avait oublié leur rencontre lointaine. C'était à Prague, elle était avec une bande d'amis dans un bar et lui, ami de ses amis, n'avait d'yeux que pour elle. Leur histoire d'amour s'était interrompue avant d'avoir pu commencer. Elle en garda du regret, une plaie jamais guérie.

Par deux fois, il alla s'appuyer à son fauteuil pour continuer leur conversation. Elle apprit qu'il ne serait en Bohême que trois ou quatre jours, et en plus dans une ville de province pour voir sa famille. Elle s'en attrista. Ne serait-il pas un seul jour à Prague ? Si, quand même, avant de rentrer au Danemark, un ou deux jours peut-être. Pourrait-elle le voir ? Ce serait si sympathique de se revoir ! Il lui donna le nom de l'hôtel où il logerait en province.

13

Lui aussi, il était heureux de cette rencontre ; elle était amicale, coquette et agréable, dans la quarantaine, jolie, et il ne savait pas du tout qui elle était. C'est gênant de dire à quelqu'un qu'on ne se souvient pas de lui mais, cette fois-ci, doublement gênant, car peut-être ne l'avait-il pas oubliée, seulement il ne la reconnaissait plus. Et avouer cela à une femme est une goujaterie dont il n'était pas capable. D'ailleurs, très vite il avait compris que l'inconnue n'allait pas contrôler s'il se la rappelait ou non et que rien n'était plus facile que de causer avec elle. Mais quand ils s'étaient promis de se revoir et qu'elle avait voulu lui donner son numéro de téléphone, il s'était senti embarrassé : comment pourrait-il appeler quelqu'un dont il ne connaissait pas le nom ? Sans explication, il lui avait dit qu'il préférait que ce soit elle qui téléphone et il lui avait demandé de noter le numéro de son hôtel en province.

À l'aéroport de Prague, ils s'étaient séparés. Il loua une voiture, prit l'autoroute, puis une route départementale. Arrivé dans la ville, il chercha le cimetière. Vainement. Il se retrouva dans un nouveau quartier de hautes maisons uniformes qui le déroutèrent. Il vit un garçon d'environ dix ans, arrêta la voiture, demanda comment arriver au cimetière. Le garçon le regarda sans répondre. Pensant qu'il ne le comprenait pas, Josef articula sa question plus lentement, à voix plus haute, comme un étranger qui s'efforce de bien prononcer ce qu'il dit. Le garçon finit par répondre qu'il ne savait pas. Mais comment diable peut-on ne pas savoir où est le cimetière, le seul de la ville ? Il démarra, demanda encore à d'autres passants mais leurs explications lui semblèrent peu intelligibles. Enfin, il le trouva : coincé derrière un viaduc nouvellement construit, il semblait modeste et beaucoup plus petit qu'autrefois.

Il gara la voiture et se dirigea, par une allée de tilleuls, jusqu'à la tombe. C'est là qu'il avait vu descendre, il y a une trentaine d'années, le cercueil recelant le corps de sa mère. Avant son départ pour l'étranger, il y était allé souvent, à chaque visite dans sa ville natale. Quand, il y a un mois, il préparait ce séjour en Bohême, il savait déjà qu'il commencerait par là. Il regarda la stèle; le marbre était couvert de nombreux noms : apparemment, la tombe était devenue entre-temps un grand dortoir. Entre l'allée et la stèle, il n'y avait que du gazon, bien entretenu, avec une plate-bande de fleurs; il essayait d'imaginer les cercueils au-dessous : ils devaient être les uns à côté des autres, par rangées de trois, superposés sur plusieurs étages. Maman était tout en bas. Où était le père? Mort quinze ans plus tard, il était séparé d'elle par au moins un étage de cercueils.

Il revit l'enterrement de maman. À l'époque, il n'y avait en bas que deux morts : les parents de son père. Il lui sembla alors tout naturel que sa mère descende vers ses beaux-parents et il ne se demanda même pas si elle n'aurait pas préféré rejoindre plutôt ses parents à elle. Ce n'est que sur le tard qu'il comprit : le regroupement dans des caveaux familiaux est décidé, longtemps à l'avance, par un rapport de forces ; la famille de son père était plus influente que celle de sa mère.

Le nombre de nouveaux noms sur la stèle le troubla. Quelques années après son départ, il avait appris la mort de son oncle, puis de sa tante, et enfin de son père. Il se mit à lire les noms attentivement ; certains appartenaient à des gens qu'il avait tenus jusqu'à ce jour pour vivants ; il en fut comme abasourdi. Ce n'est pas leur mort qui le bouleversa (celui qui se décide à quitter à jamais son pays doit se résigner à ne plus revoir sa famille), mais le fait qu'il n'avait reçu aucun faire-part. La police communiste surveillait les lettres adressées aux émigrés ; avaient-ils peur de lui écrire ? Il observa les dates : les deux derniers enterrements étaient postérieurs à 1989. Ce n'était donc pas par prudence qu'ils ne lui écrivaient pas. La vérité était pire : il n'existait plus pour eux.

14

L'hôtel datait des dernières années du communisme : un bâtiment moderne, lisse, comme on les construisait partout dans le monde, sur la place principale, très haut, surplombant de plusieurs étages les toits de la ville. Il s'installa dans sa chambre du sixième étage, puis alla vers la fenêtre. Il était sept heures du soir, le crépuscule descendait, les réverbères s'allumaient et la place était invraisemblablement calme.

Avant de quitter le Danemark, il s'était représenté le face-à-face avec les lieux connus, avec sa vie passée, et s'était demandé : serait-il ému ? froid ? réjoui ? déprimé ? Rien de tout cela. Pendant son absence, un balai invisible était passé sur le paysage de sa jeunesse, effaçant tout ce qui lui était familier ; le face-à-face auquel il s'était attendu n'avait pas eu lieu.

Il y a très longtemps, Irena avait visité une ville française de province, à la recherche d'un moment de repos pour son mari, déjà très malade. C'était un dimanche, la ville était tranquille, ils s'étaient arrêtés sur un pont et avaient regardé l'eau qui, paisible, coulait entre les rives verdâtres. Là où la rivière faisait un coude, une vieille villa entourée d'un jardin leur était apparue comme l'image d'un chez-soi rassurant, le rêve d'une idylle révolue. Saisis par cette beauté, ils étaient descendus sur la berge par un escalier, désireux de se balader. Après quelques pas, ils comprirent que la paix dominicale les avait bernés ; le chemin était barré ; ils se heurtèrent à un chantier abandonné : des machines, des tracteurs, des amas de terre et de sable ; de l'autre côté de la rivière, des arbres abattus ; et la villa dont la beauté les avait attirés quand ils l'avaient vue d'en haut laissait voir des vitres cassées et un grand trou à la place de la porte ; derrière se dressait une haute construction d'une dizaine d'étages ; la beauté du paysage urbain qui les avait émerveillés n'était pas pour autant une illusion d'optique ; piétinée, humiliée, moquée, elle transparaissait à travers sa propre ruine. Une nouvelle fois, le regard d'Irena se porta sur l'autre rive et elle remarqua que les grands arbres abattus étaient en fleurs! Abattus, couchés, ils étaient vivants! À ce moment, brusquement, de la musique explosa dans un haut-parleur, fortissimo. Sous ce coup de massue Irena pressa les mains sur ses oreilles et éclata en pleurs. Pleurs pour le monde qui disparaissait devant ses yeux. Son mari qui allait mourir dans quelques mois la prit par la main et l'emmena.

Le gigantesque balai invisible qui transforme, défigure, efface des paysages est au travail depuis des millénaires, mais ses mouvements, jadis lents, à peine perceptibles, se sont tellement accélérés que je me demande : *L'Odyssée*, aujourd'hui, serait-elle concevable? L'épopée du retour appartient-elle encore à notre époque? Le matin, quand il se réveilla sur la rive d'Ithaque, Ulysse aurait-il pu entendre en extase la musique du Grand Retour si le vieil olivier avait été abattu et s'il n'avait rien pu reconnaître autour de lui?

Près de l'hôtel, un haut bâtiment montrait son côté nu, un mur aveugle orné d'un dessin gigantesque. La pénombre rendait l'inscription illisible et Josef ne distingua que deux mains qui se serraient l'une l'autre, des mains énormes, entre le ciel et la terre. Avaient-elles toujours été là? Il ne se rappelait plus.

Il dînait seul au restaurant de l'hôtel et entendait, tout autour de lui, le bruit des conversations. C'était la musique d'une langue inconnue. Que s'était-il passé avec le tchèque pendant ces deux pauvres décennies? Était-ce l'accent qui avait changé? Apparemment. Jadis fermement posé sur la première syllabe, il s'était affaibli; l'intonation en était comme désossée. La mélodie paraissait plus monotone qu'autrefois, traînante. Et le timbre! Il était devenu nasal, ce qui donnait à la parole quelque chose de désagréablement blasé. Probablement, au cours des siècles, la musique de toutes les langues se transforme-t-elle imperceptiblement, mais celui qui revient après une longue absence en est déconcerté : penché au-dessus de son assiette, Josef écoutait une langue inconnue dont il comprenait chaque mot.

Puis, dans sa chambre, il décrocha le téléphone et composa le numéro de son frère. Il entendit une voix joyeuse qui l'invita à venir tout de suite.

«Je voulais seulement t'annoncer mon arrivée, dit Josef. Excuse-moi pour aujourd'hui. Je ne veux pas que vous me voyiez dans cet état après tant d'années. Je suis crevé. Tu es libre demain?»

Il n'était même pas sûr que son frère travaillait encore à l'hôpital.

«Je me libère», fut la réponse.

15

Il sonne et son frère, de cinq ans plus âgé que lui, ouvre la porte. Ils se serrent la main et se regardent. Ce sont des regards d'immense intensité et ils savent bien de quoi il s'agit : ils enregistrent, rapidement, discrètement, le frère sur le frère, leurs cheveux, leurs rides, leurs dents; chacun sait ce qu'il recherche dans le visage d'en face et chacun sait que l'autre recherche la même chose dans le sien. Ils en ont honte, car ce qu'ils recherchent, c'est la distance probable qui sépare l'autre de la mort ou bien, pour le dire plus brutalement, ils recherchent dans l'autre la mort qui transparaît. Ils veulent terminer au plus vite cette scrutation morbide et se hâtent de trouver une phrase qui leur ferait oublier ces quelques secondes funestes, une apostrophe, une question, ou, si possible (ce serait un cadeau du ciel), une blague (mais rien n'arrive pour les sauver).

«Viens», dit enfin le frère et, prenant Josef par les épaules, il l'emmène au salon.

16

«On t'attend depuis que ça s'est écroulé, dit le frère quand ils s'assirent. Tous les émigrés sont déjà rentrés, ou au moins se sont montrés ici. Non, non, ce ne sont pas des reproches. Tu sais toi-même ce que tu as à faire.

— Tu te trompes, rit Josef, je ne le sais pas.

— Tu es venu seul? demanda le frère.

— Oui.

— Tu veux t'installer durablement?

— Je ne sais pas.

— Bien sûr, tu dois compter avec l'avis de ta femme. Tu t'es marié là-bas, autant que je sache.

— Oui.

— Avec une Danoise, dit son frère, incertain.

— Oui», dit Josef, et il se tut.

Ce silence mit le frère dans l'embarras et Josef, pour dire quelque chose, demanda : «La maison est à toi à présent?»

Jadis, l'appartement faisait partie d'une maison de rapport de trois étages qui appartenait à leur père; au deuxième étage habitait la famille (le père, la mère, les deux fils), les autres étages étaient loués. Après la révolution communiste de 1948, la maison avait été expropriée et la famille y était restée comme locataire.

«Oui», répondit le frère, visiblement gêné : «Nous avons essayé de te joindre, mais en vain.

— Comment? Tu connais pourtant mon adresse!»

Après 1989, toutes les propriétés étatisées par la révolution (usines, hôtels, maisons de rapport, champs, forêts) étaient revenues à leurs anciens possesseurs (ou plus précisément à leurs enfants ou petits-enfants); cette procédure s'appela «restitution»: il suffisait que quelqu'un déclare auprès de la justice être propriétaire et, au bout d'une année pendant laquelle sa revendication pouvait être contestée, la restitution devenait irrévocable. Cette simplification juridique permit beaucoup de tricheries mais évita des procès d'héritage, des recours, des appels, et fit ainsi renaître, en un temps étonnamment court, une société de classes avec une bourgeoisie riche, entreprenante, capable de mettre l'économie du pays en marche.

«C'est un avocat qui s'en est occupé, répondit le frère, toujours embarrassé. Maintenant, il est déjà trop tard. Les procédures sont closes. Mais sois sans crainte, nous nous arrangerons entre nous et sans avocats.»

À ce moment, sa belle-sœur entra. Cette fois, le heurt des regards n'eut même pas lieu : elle avait tellement vieilli que tout fut clair dès qu'elle apparut dans la porte. Josef eut envie de baisser la tête pour ne la regarder qu'ensuite, en cachette, sans l'effaroucher. Saisi de pitié, il se leva, alla vers elle et l'embrassa.

Ils se rassirent. Ne pouvant sortir de l'émotion, Josef la regarda ; s'il l'avait rencontrée dans la rue, il ne l'aurait pas reconnue. Ce sont les êtres qui me sont le plus proches, se disait-il, ma famille, la seule que j'aie, mon frère, mon unique frère. Il se répétait ces mots comme s'il voulait prolonger son émotion avant qu'elle ne se dissipe.

Cette vague d'attendrissement lui fit dire : « Oublie complètement l'histoire de la maison. Écoute, vraiment, soyons pragmatiques, posséder quelque chose ici, ce n'est pas mon problème. Mes problèmes ne sont pas ici. »

Soulagé, le frère répéta : « Non, non. J'aime l'équité en tout. D'ailleurs, ta femme aussi a son mot à dire.

— Parlons d'autre chose », dit Josef en posant la main sur celle de son frère et en la serrant.

17

Ils le conduisirent à travers l'appartement pour lui montrer les changements survenus après son départ. Dans une pièce il vit un tableau qui lui avait appartenu. Après s'être décidé à quitter le pays, il avait dû agir vite. Il habitait alors une autre ville de province et, obligé de tenir secrète son intention d'émigrer, il ne pouvait pas se trahir en distribuant ses biens à ses amis. La veille de son départ, il avait mis les clés dans une enveloppe et les avait envoyées à son frère. Puis il lui avait téléphoné de l'étranger et l'avait prié de prendre dans l'appartement tout ce qui lui convenait avant que l'État ne le confisque. Plus tard, installé au Danemark, heureux de commencer une nouvelle vie, il n'avait pas eu la moindre envie d'essayer de savoir ce que son frère avait réussi à sauver et ce qu'il en avait fait.

Il regarda longuement le tableau : une banlieue ouvrière, pauvre, traitée avec cette audacieuse fantaisie de couleurs qui rappelait les Fauves du début du siècle, Derain, par exemple. Pourtant, la peinture était loin d'être un pastiche; si elle avait été exposée en 1905 à Paris au Salon d'Automne avec d'autres peintures des Fauves, tout le monde aurait été étonné par son étrangeté, intrigué par l'énigmatique parfum d'une visiteuse venue d'un lointain ailleurs. En effet, le tableau était de 1955, époque où la doctrine de l'art socialiste exigeait sévèrement le réalisme : l'auteur, moderniste passionné, aurait préféré peindre comme on peignait alors partout dans le monde, c'est-à-dire à la manière abstraite, mais en même temps il voulait exposer; il dut donc trouver le point miraculeux où les impératifs des idéologues se recoupaient avec ses désirs d'artiste; les bicoques évoquant la vie des ouvriers étaient un tribut aux idéologues, les couleurs violemment irréalistes, le cadeau qu'il se faisait à lui-même.

Josef avait visité son atelier dans les années soixante alors que la doctrine officielle perdait de sa force et que le peintre était déjà libre de faire à peu près ce qu'il

voulait. Naïvement sincère, Josef avait préféré ce tableau ancien aux nouveaux, et le
peintre, qui avait pour son fauvisme ouvrié-
riste une sympathie mêlée de condescen-
dance, lui en avait fait cadeau sans regret ;
il avait même pris le pinceau et, à côté de
sa signature, inscrit une dédicace avec le
nom de Josef.

« Tu as bien connu ce peintre, remarqua le frère.

— Oui. J'ai sauvé son caniche.

— Tu vas aller le voir ?

— Non. »

Peu après 1989, Josef avait reçu au
Danemark un paquet de photos des nouveaux tableaux du peintre, créés cette fois
en pleine liberté : ils étaient indistinguables
des millions d'autres tableaux qui se pei-
gnaient alors sur la planète ; le peintre pouvait se vanter d'une double victoire : il était
totalement libre et totalement pareil à tout
le monde.

« Tu l'aimes toujours, ce tableau ?
demanda son frère.

— Oui, il est toujours très beau. »

Le frère désigna sa femme d'un mouvement de la tête : «Katy l'aime beaucoup. Tous les jours elle s'arrête devant.» Puis il ajouta : «Le lendemain de ton départ, tu m'as dit de le donner à papa. Il l'a mis au-dessus de la table de son bureau à l'hôpital. Il savait combien Katy l'aimait et avant de mourir il le lui a légué.» Après une petite pause : «Tu ne peux pas imaginer. Nous avons vécu des années atroces.»

Regardant la belle-sœur, Josef se souvint qu'il ne l'avait jamais aimée. Sa vieille antipathie pour elle (elle la lui avait bien rendue) lui parut maintenant bête et regrettable. Elle était debout, fixant le tableau, son visage exprimait une triste impuissance et Josef, compatissant, dit à son frère : «Je sais.»

Le frère se mit à lui raconter l'histoire de la famille, la longue agonie du père, la maladie de Katy, le mariage raté de leur fille, puis les cabales contre lui à l'hôpital, où sa position avait été très affaiblie du fait que Josef avait émigré.

La dernière remarque n'était pas prononcée sur un ton de reproche, mais Josef ne douta pas de l'animosité avec laquelle le frère et la belle-sœur avaient dû alors parler de lui, indignés du peu de raisons que Josef aurait pu alléguer pour justifier son émigration que, certainement, ils jugeaient irresponsable : le régime ne rendait pas la vie facile aux parents d'émigrés.

18

Dans la salle à manger, la table était prête pour le déjeuner. La conversation devint volubile, le frère et la belle-sœur voulant l'informer de tout ce qui s'était passé pendant son absence. Les décennies planaient au-dessus des assiettes et sa belle-sœur, soudain, l'attaqua : « Tu as eu toi aussi tes années fanatiques. Comment tu as parlé de l'Église ! Nous avons tous eu peur de toi. »

La remarque le surprit. « Peur de moi ? » Sa belle-sœur insista. Il la regarda : sur son visage qui, il y a quelques instants encore, lui avait paru méconnaissable, ses traits d'antan ressortaient.

Dire qu'ils avaient eu peur de lui était, en effet, un non-sens, le souvenir de la belle-sœur ne pouvant concerner que ses années de lycéen, quand il avait entre seize et dix-neuf ans. Il est tout à fait possible qu'il se soit moqué alors des croyants, mais ces propos ne pouvaient rien avoir de commun avec l'athéisme militant du régime et n'étaient destinés qu'à sa famille qui ne manquait jamais la messe dominicale et incitait ainsi Josef à jouer au provocateur. Il avait passé son baccalauréat en 1951, trois ans après la révolution, et c'est sous l'inspiration du même goût de la provocation qu'il s'était alors décidé à étudier la médecine vétérinaire : guérir des malades, servir l'humanité, c'était la grande fierté de sa famille (son grand-père déjà était médecin), et il avait envie de leur dire à tous qu'il préférait les vaches aux humains. Mais personne n'avait admiré ni blâmé sa révolte ; la médecine vétérinaire étant tenue pour socialement moins prestigieuse, son choix avait été interprété comme un manque d'ambition, le consentement à occuper le second rang dans la famille, après son frère.

Confusément, il essaya d'expliquer (à eux et à lui-même) sa psychologie adolescente, mais les mots avaient du mal à sortir de sa bouche parce que le sourire figé de la belle-sœur, braqué sur lui, exprimait un immuable désaccord avec tout ce qu'il disait. Il comprit qu'il n'y pouvait rien ; que c'était comme une loi : ceux à qui leur vie se révèle naufrage partent à la chasse aux coupables. Coupable, Josef l'était doublement : en tant qu'adolescent qui avait mal parlé de Dieu, et en tant qu'adulte qui avait émigré. Il perdit l'envie d'expliquer quoi que ce soit et son frère, fin diplomate, détourna la conversation vers un autre sujet.

Son frère : étudiant en deuxième année de médecine, il avait été exclu de l'université en 1948 à cause de ses origines bourgeoises ; afin de ne pas perdre l'espoir de revenir plus tard à ses études et de devenir chirurgien comme son père, il avait tout fait pour manifester son adhésion au communisme au point qu'un jour, la mort dans l'âme, il avait fini par entrer au parti où il était resté jusqu'en 1989. Les chemins des deux frères s'écartaient : évincé d'abord des études, forcé ensuite de renier ses convictions, l'aîné avait le sentiment (il l'aurait toujours) d'être une victime ; à l'école vétérinaire, moins recherchée, moins surveillée, le cadet n'avait pas besoin d'exhiber une quelconque loyauté au régime : aux yeux de son frère, il apparaissait (et apparaîtrait toujours) comme un petit veinard sachant se tirer de tout ; un déserteur.

En août 1968, l'armée russe avait envahi le pays ; pendant une semaine, les rues de toutes les villes hurlaient de colère. Jamais le pays n'avait été à tel point patrie, les Tchèques à tel point Tchèques. Enivré de haine, Josef était prêt à se jeter contre les chars. Puis les hommes d'État du pays avaient été arrêtés, transportés sous escorte à Moscou, contraints de conclure un compromis bâclé, et les Tchèques, toujours en colère, étaient rentrés à la maison. Quelque quatorze mois plus tard, au cinquante-deuxième anniversaire de la Révolution russe d'octobre, imposé au pays comme jour férié, dans le bourg où il avait son cabinet, Josef était monté en voiture pour aller voir sa famille à l'autre bout du pays. Arrivé dans la ville, il avait ralenti ; il était curieux de voir combien de fenêtres seraient ornées de drapeaux rouges qui, en cette année de défaite, n'étaient que des aveux de soumission. Il y en avait plus qu'il ne s'y attendait : peut-être ceux qui les arboraient agissaient-ils contre leur conviction, par prudence, avec une vague peur, toutefois ils agissaient volontairement car personne ne les contraignait, personne ne les menaçait. Il s'était arrêté devant sa maison natale. Au deuxième étage où habitait son frère, un grand drapeau, affreusement rouge, resplendissait. Une longue minute, sans sortir de voiture, il l'avait contemplé ; puis il avait démarré. Pendant le voyage de retour, il avait décidé de quitter le pays. Ce n'est pas qu'il n'aurait pu y vivre. Il aurait pu soigner ici des vaches en toute tranquillité. Mais il était seul, divorcé, sans enfants, libre. Il s'était dit qu'il n'avait qu'une seule vie et qu'il voulait la vivre ailleurs

19

À la fin du déjeuner, devant la tasse de café, Josef pensait à son tableau. Il se demandait comment l'emporter et si, dans l'avion, il ne serait pas trop encombrant. Ne serait-il pas plus pratique de retirer la toile du châssis et de l'enrouler?

Il était sur le point d'en parler quand la belle-sœur lui dit : «Tu vas certainement aller voir N.

— Je ne sais pas encore.

— C'était ton grand ami.

— C'est toujours mon ami.

— En 48, tout le monde tremblait devant lui. Le commissaire rouge! Mais il a fait beaucoup pour toi, n'est-ce pas? Tu es son obligé!»

Le frère se dépêcha d'interrompre sa femme et tendit à Josef un petit paquet : «C'est ce que papa a gardé comme souvenir de toi. Nous l'avons trouvé après sa mort.»

Apparemment, son frère devait bientôt partir pour l'hôpital; leur rencontre touchait à sa fin et Josef constata que son tableau avait disparu de la conversation. Comment! Sa belle-sœur se rappelle son ami N. mais son tableau, elle l'oublie? Pourtant, quoiqu'il fût prêt à renoncer à tout son héritage, à sa part de la maison, le tableau était à lui, à lui seul, avec son nom inscrit à côté de celui du peintre! Comment pouvaient-ils, elle et son frère, faire semblant qu'il ne lui appartenait pas?

L'atmosphère s'alourdit soudain et le frère se mit à raconter quelque chose de drôle. Josef n'écoutait pas. Il était décidé à réclamer son tableau et, concentré sur ce qu'il voulait dire, il laissa tomber un regard distrait sur le poignet du frère et sur sa montre. Il la reconnut : grande, noire, un peu démodée; elle était restée dans son appartement et le frère se l'était appropriée. Non, Josef n'avait aucune raison de s'en indigner. Tout s'était passé selon ses propres instructions; pourtant, voir sa montre sur le poignet d'un autre le plongea dans un étrange malaise. Il eut l'impression de retrouver le monde comme peut le retrouver un mort qui, au bout de vingt ans, sort de sa tombe : il touche la terre d'un pied timide qui a perdu l'habitude de marcher; il reconnaît à peine le monde où il a vécu mais achoppe sans cesse sur les restes de sa vie : il voit son pantalon, sa cravate sur le corps des survivants qui, tout naturellement, se les sont partagés; il voit tout et ne revendique rien : les morts sont timides. Envahi par cette timidité des morts, Josef ne trouva pas la force de dire un seul mot à propos de son tableau. Il se leva.

«Reviens ce soir. On dînera ensemble», dit le frère.

Josef vit soudain le visage de sa propre femme; il ressentit un besoin aigu de s'adresser à elle, de lui parler. Mais il ne le pouvait pas : son frère le regardait, attendant la réponse.

«Excusez-moi, j'ai si peu de temps. La prochaine fois», et il leur serra cordialement la main à tous les deux.

Sur le chemin de l'hôtel, le visage de sa femme lui apparut de nouveau et il s'emporta : «C'est ta faute. C'est toi qui m'as dit qu'il fallait que j'y aille. Je ne voulais pas. Je n'avais aucune envie de ce retour. Mais tu n'étais pas d'accord. Ne pas y aller, c'était selon toi anormal, injustifiable, c'était même moche. Penses-tu toujours que tu avais raison?»

20

Une fois dans la chambre, il a ouvert le paquet que lui a donné son frère : un album de photos de son enfance, sa mère, son père, son frère, et maintes fois le petit Josef ; il le met de côté pour le garder. Deux livres illustrés pour enfants ; il les jette dans la corbeille. Un dessin d'enfant au crayon de couleur avec la dédicace : «Pour l'anniversaire de maman» et sa signature maladroite ; il le jette. Puis un cahier. Il l'ouvre : son journal de lycéen. Comment a-t-il pu le laisser chez ses parents ?

Les notes dataient des premières années du communisme mais, sa curiosité un peu déçue, il n'y trouve que des descriptions de ses rendez-vous avec des jeunes filles du lycée. Libertin précoce ? Mais non : puceau. Il feuillette distraitement, puis s'arrête sur ces reproches adressés à une jeune fille : « Tu m'as dit que, dans l'amour, il ne s'agit que de la chair. Ma petite, tu te sauverais en courant si un homme t'avouait n'en vouloir qu'à ta chair. Et tu comprendrais ce qu'est la sensation atroce de la solitude. »

Solitude. Ce mot revient souvent. Il tentait de leur faire peur en dessinant l'effroyable perspective de la solitude. Afin qu'elles l'aiment, il les sermonnait comme un curé : hors des sentiments, la sexualité s'étend tel un désert où l'on meurt de tristesse.

Il lit et ne se souvient de rien. Qu'est donc venu lui dire cet inconnu ? Lui rappeler que, jadis, il a vécu ici sous son nom ? Josef se lève et va vers la fenêtre. La place est éclairée par le soleil de la fin d'après-midi, et l'image des deux mains sur le grand mur est cette fois bien visible : l'une est blanche, l'autre noire. Au-dessus, un sigle de trois lettres promet « sécurité » et «solidarité». Sans aucun doute, la peinture a été exécutée après 1989, quand le pays a adopté les slogans des temps nouveaux : fraternité de toutes les races ; mélange de toutes les cultures ; unité de tout, unité de tous.

Des mains qui se serrent sur des affiches, Josef en a déjà vu ! L'ouvrier tchèque serrant la main du soldat russe ! Quoique détestée, cette image de propagande faisait incontestablement partie de l'Histoire des Tchèques qui avaient mille raisons de serrer ou de repousser les mains des Russes ou des Allemands. Mais une main noire ? Dans ce pays, les gens savaient à peine que les Noirs existaient. Jamais de sa vie sa mère n'en a rencontré un seul.

Il regarde ces mains suspendues entre le ciel et la terre, énormes, plus grandes que le clocher de l'église, des mains qui ont replacé cet endroit dans un décor brutalement autre. Il inspecte longuement cette place au-dessous de lui comme s'il cherchait les traces que, jeune homme, il a laissées sur le pavé quand il s'y est promené avec ses condisciples.

«Condisciples»; il prononce ce mot lentement, à mi-voix, pour respirer le parfum (faible! à peine sensible!) de sa prime
jeunesse, ce temps révolu, égaré, temps
délaissé, triste comme un orphelinat; mais
contrairement à Irena dans la ville de province française, il n'éprouve aucune affection pour ce passé qui, impuissamment,
transparaît; aucune envie de retour; rien
que légère réserve; détachement.

Si j'étais médecin, j'établirais, sur son
cas, ce diagnostic: «Le malade souffre
d'une insuffisance de nostalgie.»

21

Mais Josef ne se croit pas malade. Il se
croit lucide. L'insuffisance de nostalgie est
pour lui la preuve du peu de valeur de sa
vie passée. Je corrige donc mon diagnostic: «Le malade souffre de la déformation
masochiste de sa mémoire.» En effet, il ne
se souvient que des situations qui le rendent mécontent de lui-même. Il n'aime
pas son enfance. Mais n'a-t-il pas eu,

enfant, tout ce qu'il voulait ? Son père n'était-il pas vénéré par tous ses patients ? Pourquoi son frère en était-il fier et pas lui ? Il se bagarrait souvent avec ses petits copains et se bagarrait bravement. Or il a oublié toutes ses victoires, mais il se rappellera toujours qu'un camarade qu'il considérait comme plus faible l'a un jour couché sur le dos et maintenu au sol pendant dix secondes comptées à voix haute. Encore aujourd'hui il sent sur sa peau cette pression humiliante de la terre. Lorsqu'il vivait en Bohême et qu'il rencontrait des gens qui l'avaient connu précédemment, il était toujours surpris qu'ils le tiennent pour quelqu'un de plutôt courageux (il se voyait pusillanime), à l'esprit caustique (il se croyait ennuyeux) et qui avait bon cœur (il ne se rappelait que ses mesquineries).

Il savait très bien que sa mémoire le détestait, qu'elle ne faisait que le calomnier ; il s'était donc efforcé de ne pas se fier à ce qu'elle lui racontait et d'être plus indulgent envers sa propre vie. Peine perdue : il n'éprouvait aucun plaisir à regarder en arrière et le faisait le moins souvent possible.

Selon ce qu'il veut faire croire aux autres et à lui-même, il a quitté son pays parce qu'il ne pouvait supporter de le voir asservi et humilié. Ce qu'il dit est vrai, n'empêche que la plupart des Tchèques se sentaient comme lui, asservis et humiliés, et toutefois ils n'ont pas couru à l'étranger. Ils sont restés dans leur pays, parce qu'ils s'aimaient eux-mêmes et parce qu'ils s'aimaient avec leur vie qui était inséparable du lieu où ils la vivaient. Comme sa mémoire était malveillante et n'offrait à Josef rien de ce qui pouvait lui rendre chère sa vie dans son pays, il a franchi la frontière d'un pas leste et sans regret.

Est-ce qu'à l'étranger sa mémoire a perdu son influence nocive? Oui; car là, Josef n'avait ni raisons ni occasions de s'occuper des souvenirs liés au pays qu'il n'habitait plus; telle est la loi de la mémoire masochiste: à mesure que des pans de sa vie s'effondrent dans l'oubli, l'homme se débarrasse de ce qu'il n'aime pas et se sent plus léger, plus libre.

Et surtout, à l'étranger, Josef est tombé amoureux et l'amour, c'est l'exaltation du temps présent. Son attachement au présent a chassé les souvenirs, l'a protégé contre leurs interventions; sa mémoire n'est pas devenue moins malveillante mais, négligée, tenue à l'écart, elle a perdu son pouvoir sur lui.

22

Plus vaste est le temps que nous avons laissé derrière nous, plus irrésistible est la voix qui nous invite au retour. Cette sentence a l'air d'une évidence, et pourtant elle est fausse. L'homme vieillit, la fin approche, chaque moment devient de plus en plus cher et il n'y a plus de temps à perdre avec des souvenirs. Il faut comprendre le paradoxe mathématique de la nostalgie : elle est le plus puissante dans la première jeunesse quand le volume de la vie passée est tout à fait insignifiant.

Des brumes du temps où Josef était lycéen, je vois émerger une jeune fille; elle est longiligne, belle, elle est vierge, et elle est mélancolique parce qu'elle vient de se séparer d'un garçon. C'est sa première rupture amoureuse, elle en souffre, mais sa douleur est moins forte que l'étonnement qu'elle éprouve à découvrir le temps ; elle le voit comme jamais elle ne l'a vu auparavant :

Jusqu'alors, le temps s'est montré à elle sous l'aspect du présent qui avance et avale l'avenir ; elle craignait sa vitesse (lorsqu'elle attendait quelque chose de pénible) ou se révoltait contre sa lenteur (lorsqu'elle attendait quelque chose de beau). Cette fois, le temps lui apparaît tout différemment ; ce n'est plus le présent victorieux qui s'empare de l'avenir ; c'est le présent vaincu, captif, emporté par le passé. Elle voit un jeune homme qui se détache de sa vie et s'en va, à jamais inaccessible. Hypnotisée, elle ne peut rien faire d'autre que regarder ce morceau de sa vie qui s'éloigne, elle ne peut que le regarder et souffrir. Elle éprouve une sensation toute nouvelle qui s'appelle nostalgie.

Cette sensation, ce désir invincible de

retourner, lui dévoile d'emblée l'existence du passé, le pouvoir du passé, de son passé ; dans la maison de sa vie, des fenêtres sont apparues, des fenêtres tournées vers l'arrière, sur ce qu'elle a vécu ; sans ces fenêtres, désormais, son existence ne sera plus concevable.

Un jour, avec son nouvel amant (amant platonique, bien sûr), elle prend un chemin dans la forêt près de la ville ; c'est sur ce même chemin que, quelques mois auparavant, elle s'est promenée avec son amant précédent (celui qui, après leur rupture, lui a fait éprouver sa première nostalgie) et cette coïncidence l'émeut. Délibérément, elle se dirige vers une petite chapelle délabrée à un croisement de chemins forestiers, parce que c'est là que son premier amant a voulu l'embrasser. L'irrépressible tentation l'invite à revivre les moments de l'amour révolu. Elle désire que les deux histoires amoureuses se croisent, s'apparentent, se mêlent, se miment l'une l'autre et grandissent toutes deux par leur fusion.

Lorsque l'amant d'alors, à cet endroit, a essayé de s'arrêter pour la serrer contre lui, elle, heureuse et confondue, a accéléré le pas et l'en a empêché. Cette fois-ci, que va-t-il se passer ? Son amant d'aujourd'hui ralentit lui aussi l'allure, lui aussi s'apprête à l'enlacer ! Éblouie par cette répétition (par la merveille de cette répétition), elle obéit à l'impératif de la ressemblance et avance à pas rapides, en le tirant par la main.

Depuis, elle se laisse charmer par ces affinités, par ces contacts furtifs du présent et du passé, elle recherche ces échos, ces correspondances, ces corésonances qui lui font ressentir la distance entre ce qui a été et ce qui est, la dimension temporelle (si nouvelle, si étonnante) de sa vie ; elle a l'impression de sortir ainsi de l'adolescence, de devenir mûre, adulte, ce qui signifie pour elle : devenir celle qui a fait la connaissance du temps, qui a laissé un fragment de vie derrière elle et peut tourner la tête pour le regarder.

Un jour, elle voit son nouvel amant courir vers elle en veste bleue et elle se souvient que son premier amant lui plaisait aussi en veste bleue. Un autre jour, la regardant dans les yeux, il fait l'éloge de leur beauté par une tournure métaphorique très insolite; elle en est fascinée parce que, à propos de ses yeux, son premier amant lui a dit mot pour mot la même phrase insolite. Ces coïncidences l'émerveillent. Jamais elle ne se sent à tel point pénétrée de beauté que lorsque la nostalgie de son amour passé se confond avec les surprises de son nouvel amour. L'intrusion de l'amant de naguère dans l'histoire qu'elle est en train de vivre n'est pas pour elle une infidélité secrète, mais augmente encore son affection pour celui qui marche à ses côtés.

Plus âgée, elle verra dans ces ressemblances une regrettable uniformité des individus (qui, pour s'embrasser, s'arrêtent tous aux mêmes endroits, ont les mêmes goûts vestimentaires, flattent une femme avec la même métaphore) et une monotonie lassante des événements (qui ne sont qu'une éternelle répétition du même); mais dans son adolescence, elle accueille ces coïncidences comme un miracle, avide de déchiffrer leurs significations. Le fait que son amant d'aujourd'hui ressemble étrangement à celui de naguère le rend encore plus exceptionnel, encore plus original, et elle croit qu'il lui est mystérieusement prédestiné.

23

Non, il n'y a aucune allusion à la politique dans le journal. Aucune trace de l'époque, sauf peut-être le puritanisme des premières années du communisme, avec, en arrière-plan, l'idéal de l'amour sentimental. Josef est retenu par une confidence du puceau : il trouvait facilement l'audace de caresser la poitrine d'une fille, mais devait surmonter sa propre pudeur pour lui toucher la croupe. Il avait le sens de la précision : «Pendant le rendez-vous d'hier, je n'ai osé toucher sa croupe que deux fois.»

Intimidé par la croupe, il était d'autant plus avide de sentiments : «Elle m'assure de son amour, sa promesse de coït est ma victoire…» (apparemment, le coït en tant que preuve d'amour lui importait plus que l'acte physique lui-même) «... mais je suis déçu : il n'y a aucune extase dans nos rencontres. Imaginer notre vie commune me terrifie. » Et plus loin : «Combien fatigante est la fidélité qui n'a pas sa source dans une vraie passion. »

Extase; vie commune; fidélité; vraie passion. Josef s'arrête sur ces mots. Que pouvaient-ils signifier pour un immature? Ils étaient aussi énormes que vagues et leur force résidait justement dans leur nébulosité. Il était en quête de sensations qu'il ne connaissait pas, qu'il ne comprenait pas; il les cherchait chez sa partenaire (guettant chaque petite émotion qui se reflétait sur son visage), il les cherchait en lui-même (pendant d'interminables heures d'introspection), mais était toujours frustré. C'est alors qu'il a noté (Josef doit reconnaître la surprenante perspicacité de cette remarque) : «Le désir d'éprouver de la compassion pour elle et le désir de la faire souffrir sont un seul et même désir. » Et en effet, il se comportait comme guidé par cette phrase : afin d'éprouver de la compassion (afin d'atteindre l'extase de la compassion), il faisait tout pour voir souffrir son amie ; il la torturait : « J'ai réveillé en elle des doutes sur mon amour. Elle est tombée dans mes bras, je l'ai consolée, je me suis baigné dans sa tristesse et, pendant un instant, j'ai senti jaillir en moi un petit feu d'excitation. »

Josef essaie de comprendre le puceau, de se mettre dans sa peau, mais il en est incapable. Ce sentimentalisme mêlé de sadisme, tout cela est totalement contraire à ses goûts et à sa nature. Il arrache une feuille blanche du journal, prend un crayon et recopie la phrase : « ... je me suis baigné dans sa tristesse. » Il contemple longuement les deux écritures : l'ancienne est un peu maladroite, mais les lettres ont la même forme que celles d'aujourd'hui. Cette ressemblance lui est désagréable, elle l'agace, elle le choque. Comment deux êtres si étrangers, si opposés, peuvent-ils avoir la même écriture ? En quoi consiste cette essence commune qui fait une seule personne de lui et de ce morveux ?

24

Ni le puceau ni la lycéenne ne disposaient d'un appartement pour s'isoler; le coït qu'elle lui avait promis dut être reporté aux vacances d'été qui étaient loin. En attendant, ils passaient le temps la main dans la main sur les trottoirs ou sur les chemins de forêt (les jeunes amants d'alors étaient d'infatigables marcheurs), condamnés aux conversations répétitives et aux attouchements qui ne menaient nulle part. Dans ce désert sans extases, il lui a annoncé un jour que leur séparation était inévitable car il allait bientôt déménager à Prague.

Josef est surpris de ce qu'il lit; déménager à Prague? ce projet était tout simplement impossible, sa famille n'ayant jamais voulu quitter leur ville. Et tout d'un coup, le souvenir remonte de l'oubli, désagréablement présent et vivant : il est sur un chemin de forêt, debout, en face de cette fille, et il lui parle de Prague! Il parle de son déménagement et il ment! Il se souvient parfaitement de sa conscience de menteur, il se voit parler et mentir, mentir pour voir pleurer la lycéenne!

Il lit. « En sanglotant, elle m'a serré dans ses bras. J'ai été extrêmement attentif à chaque manifestation de sa douleur et je regrette de ne plus me souvenir du nombre exact de ses sanglots. »

Est-ce possible? « Extrêmement attentif a chaque manifestation de sa douleur », il a compté les sanglots! Ce tortionnaire-comptable! C'était sa façon de sentir, de vivre, de savourer, d'accomplir l'amour! Il l'étreignait dans ses bras, elle sanglotait et il comptait!

Il continue à lire : « Puis elle s'est calmée et m'a dit : "Je comprends maintenant ces poètes qui, jusqu'à la mort, restaient fidèles." Elle a levé la tête vers moi, et ses lèvres frémissaient. » Dans le journal le mot « frémissaient » est souligné.

Il ne se rappelle ni ses mots ni ses lèvres qui frémissaient. Le seul souvenir vivant, c'est le moment où il débitait ses mensonges sur le déménagement à Prague. Rien d'autre n'est resté dans sa mémoire.

Il s'efforce d'évoquer avec plus de netteté les traits de cette jeune fille exotique qui se réclamait non pas des chanteurs ou des joueurs de tennis mais des poètes ; des poètes «qui, jusqu'à la mort, restaient fidèles»! Il savoure l'anachronisme de cette phrase soigneusement notée et ressent de plus en plus d'affection pour cette fille si doucement désuète. La seule chose qu'il lui reproche est d'avoir été amoureuse d'un détestable morveux qui ne désirait que la torturer.

Ah, ce morveux; il le voit qui fixait les lèvres de la jeune fille, les lèvres qui frémissaient, malgré elle, incontrôlées, incontrôlables! Il a dû en être excité comme s'il observait un orgasme (orgasme féminin dont il n'avait aucune idée)! Il a bandé, peut-être! Sûrement!

Assez! Josef tourne les pages et apprend que la lycéenne s'apprêtait à aller faire du ski avec sa classe en haute montagne pendant une semaine; le morveux a protesté, l'a menacée de rupture; elle a expliqué que cela faisait partie des obligations scolaires; il n'a rien voulu entendre et s'est mis en fureur (encore une extase! une extase de fureur!) : «Si tu y vas, c'est la fin entre nous. Je te le jure, la fin!»

Que lui a-t-elle répondu? Ses lèvres ont-elles frémi quand elle a entendu son éclat hystérique? Certainement pas, car ce mouvement incontrôlé des lèvres, cet orgasme virginal, l'excitait tellement qu'il n'aurait pas manqué de le mentionner. Apparemment, cette fois, il avait surestimé son pouvoir. Car il n'y a plus aucune note évoquant sa lycéenne. Suivent quelques descriptions de rendez-vous fades avec une autre fille (il saute des lignes) et le journal s'achève avec la fin de la septième classe (les lycées tchèques en comptaient huit), précisément au moment où une femme plus âgée que lui (de celle-ci, il se souvient bien) lui a fait découvrir l'amour physique et a déplacé sa vie vers d'autres rails; tout cela, il ne l'a plus noté; le journal n'a pas survécu à la virginité de son auteur; un très court chapitre de sa vie s'est achevé et, sans suite ni conséquence, a été relégué au rayon obscur des objets oubliés.

Il se met à déchirer les pages du journal en petits morceaux. Geste sans doute exagéré, inutile ; mais il éprouve le besoin de laisser libre cours à son aversion ; le besoin d'anéantir le morveux afin qu'un jour (ne serait-ce que dans un mauvais rêve) il ne soit pas confondu avec lui, hué à sa place, tenu pour responsable de ses paroles et de ses actes !

25

À cet instant le téléphone sonna. Il se rappela la femme rencontrée à l'aéroport et décrocha.

« Vous n'allez pas me reconnaître, entendit-il.

— Si, si, je te reconnais bien. Mais pourquoi me vouvoies-tu ?

— Si tu veux, je te tutoie ! Mais tu ne peux pas savoir à qui tu parles. »

Non, ce n'était pas la femme de l'aéroport. C'était l'une de ces voix blasées, au timbre désagréablement nasal. Il tomba dans l'embarras. Elle se présenta : la fille du premier mariage de la femme dont il avait divorcé après quelques mois de vie commune, une trentaine d'années auparavant.

«En effet, je ne pouvais pas savoir à qui je parlais», dit-il avec un rire forcé.

Depuis le divorce il ne les avait jamais revues, ni son ex-femme ni sa belle-fille qui, dans son souvenir, restait une fillette.

«J'ai besoin de vous parler. De te parler», se corrigea-t-elle.

Il regretta de l'avoir tutoyée, cette familiarité lui fut désagréable, mais il n'y pouvait plus rien : «Comment sais-tu que je suis ici? Personne ne le sait.

— Quand même.

— Comment?

— Ta belle-sœur.

— Je ne savais pas que tu la connaissais.

— Maman la connaît.»

Du coup, il comprit l'alliance qui s'était formée spontanément entre les deux femmes.

«Donc, c'est à la place de ta maman que tu m'appelles?»

La voix blasée se fit insistante : «J'ai besoin de te parler. Il faut que je te parle.

— Toi ou ta maman ?

— Moi.

— Dis-moi d'abord de quoi il s'agit.

— Tu veux me voir ou non ?

— Je te prie de me dire de quoi il s'agit. »

La voix blasée devint agressive : «Si tu ne veux pas me voir, alors dis-le ouvertement. »

Il détestait son insistance mais ne trouvait pas l'audace de l'éconduire. Tenir secrète la raison du rendez-vous demandé était de la part de sa belle-fille une astuce efficace : il s'inquiéta.

«Je suis ici seulement pour quelques jours, je suis pressé. Je pourrais trouver à la rigueur une demi-heure… », et il lui donna rendez-vous à Prague, dans un café, le jour de son départ.

«Tu ne viendras pas.

— Je viendrai. »

Quand il raccrocha, il eut comme une nausée. Que pouvaient-elles vouloir de lui ? Un conseil ? On n'est pas agressif, quand on a besoin d'un conseil. Elles voulaient l'embêter. Prouver qu'elles existaient. Lui prendre son temps. Mais en ce cas, pourquoi lui avait-il accordé un rendez-vous? Par curiosité? Allons donc! C'est par peur qu'il avait cédé. Il avait succombé à un vieux réflexe : pour pouvoir se défendre, il voulait toujours être renseigné à temps sur tout. Mais se défendre? Aujourd'hui? Contre quoi? Bien sûr, il n'y avait aucun danger. Tout simplement, la voix de sa belle-fille l'enveloppa d'un brouillard de vieux souvenirs : intrigues; interventions de parents; avortement; pleurs; calomnies; chantages; agressivité sentimentale; scènes de colère; lettres anonymes : la conspiration des concierges.

La vie que nous avons laissée derrière nous a la mauvaise habitude de sortir de l'ombre, de se plaindre de nous, de nous faire des procès. Loin de la Bohême, Josef avait désappris à tenir compte de son passé. Mais le passé était là, l'attendait, l'observait. Mal à l'aise, Josef s'efforça de penser à autre chose. Mais à quoi peut penser un homme venu voir le pays de son passé, sinon à son passé ? Pendant les deux jours qu'il lui reste, que va-t-il faire ? Visiter la ville où il avait son cabinet de vétérinaire ? Se planter, attendri, devant la maison qu'il habitait ? Il n'en eut aucune envie. Y a-t-il au moins quelqu'un parmi ses vieilles connaissances que, sincèrement, il aimerait rencontrer ? L'image de N. émergea. Jadis, quand les énergumènes de la révolution avaient accusé le très jeune Josef de Dieu sait quoi (en ces années, tout le monde était accusé, à un moment ou à un autre, de Dieu sait quoi), N., communiste influent à l'université, l'avait défendu, sans se soucier de ses opinions et de sa famille. C'est ainsi qu'ils étaient devenus amis, et si Josef pouvait se reprocher quelque chose, c'était de l'avoir presque oublié durant son émigration.

« Le commissaire rouge ! Tout le monde tremblait devant lui ! » avait dit sa belle-sœur en laissant entendre que Josef, par intérêt, s'était lié avec un homme du régime. Pauvres pays secoués par de grandes dates historiques ! La bataille terminée, tout le monde se rue en expéditions punitives dans le passé pour y pourchasser les coupables. Mais qui étaient les coupables? Les communistes qui, en 1948, avaient gagné? Ou leurs adversaires incapables qui avaient perdu? Tout le monde pourchassait les coupables et tout le monde était pourchassé. Quand le frère de Josef, pour pouvoir continuer ses études, était entré au parti, ses amis l'avaient condamné comme arriviste. Cela lui avait fait détester encore plus le communisme qu'il rendait responsable de sa poltronnerie, et sa femme avait concentré sa propre haine contre des gens comme N., lequel, marxiste convaincu avant la révolution, avait participé par sa libre volonté (donc, sans aucun pardon possible) à la naissance de ce qu'elle tenait pour le plus grand mal.

Le téléphone sonna de nouveau. Il décrocha et cette fois il fut sûr de la reconnaître : «Enfin!

— Ah, que je suis heureuse de ton "enfin"! Tu as attendu mon coup de fil?

— Avec impatience.

— Vraiment?

107

— J'étais d'une humeur exécrable! Entendre ta voix change tout!

— Ah, tu me rends heureuse! Comme je voudrais que tu sois ici, avec moi, là où je suis.

— Combien je regrette que ce ne soit pas possible.

— Tu le regrettes? Vraiment?

— Vraiment.

— Est-ce que je te verrai avant ton départ?

— Oui, tu me verras.

— C'est sûr?

— C'est sûr! On déjeune ensemble tous les deux après-demain!

— Je serai ravie. »

Il lui indiqua l'adresse de son hôtel à Prague.

Quand il raccrocha, son regard tomba sur le journal déchiré, réduit à un petit tas de lambeaux de papier sur la table. Il prit toute cette paperasse et, gaiement, la jeta dans la corbeille.

26

Trois ans avant 1989, Gustaf avait ouvert à Prague une agence pour sa firme, mais il n'y faisait que quelques séjours par an. Cela lui avait suffi pour aimer cette ville et y voir un lieu idéal pour vivre ; non seulement par amour d'Irena mais aussi (surtout, peut-être) parce qu'il s'y sentait, encore plus qu'à Paris, coupé de la Suède, de sa famille, de sa vie passée. Quand, inopinément, le communisme disparut d'Europe, il n'hésita pas à imposer Prague à sa firme comme point stratégique pour la conquête de nouveaux marchés. Il fit acheter une belle maison baroque, y installa des bureaux et se réserva deux pièces sous les toits. De son côté, la mère d'Irena qui habitait seule une villa de banlieue mit tout le premier étage à la disposition de Gustaf, si bien qu'il pouvait changer de demeure selon son humeur.

Assoupie et négligée à l'époque du communisme, Prague se réveilla sous ses yeux, se peupla de touristes, s'illumina de magasins et de restaurants nouveaux, se para de maisons baroques restaurées et repeintes. «Prague is my town!» s'exclamait-il. Il était amoureux de cette ville : non pas à l'instar d'un patriote qui cherche dans chaque coin du pays ses racines, ses souvenirs, les traces de ses morts, mais comme un voyageur qui se laisse surprendre et émerveiller, comme un enfant qui se balade, ébloui, dans un parc d'attractions et ne veut plus le quitter. Ayant appris à connaître l'histoire de Prague, il pérorait longuement, devant qui voulait l'entendre, sur ses rues, ses palais, ses églises, et dissertait à l'infini sur ses vedettes : sur l'empereur Rodolphe (protecteur des peintres et des alchimistes), sur Mozart (qui, à ce qu'on dit, y avait eu une maîtresse), sur Franz Kafka (qui, malheureux toute sa vie dans cette ville, en était devenu grâce aux agences de voyages le saint patron).

À une vitesse inespérée, Prague oublia la langue russe que, quarante ans durant, tous ses habitants avaient dû apprendre dès l'école primaire et, impatiente de se faire applaudir sur l'estrade du monde, elle s'exhiba aux passants parée d'inscriptions anglaises : skateboarding, snowboarding, streetwear, publishing house, National Gallery, cars for hire, pomonamarkets et ainsi de suite. Dans les bureaux de sa firme, le personnel, les partenaires commerciaux, les clients riches, tous s'adressaient à Gustaf en anglais, si bien que le tchèque n'était qu'un murmure impersonnel, un décor sonore d'où seuls les phonèmes anglo-saxons se détachaient en tant que paroles humaines. Aussi, un jour, quand Irena atterrit à Prague, il l'accueillit à l'aéroport non plus par leur coutumier « Salut ! » français mais par un « Hello ! ».

D'emblée, tout fut changé. Car représentons-nous la vie d'Irena après la mort de Martin : elle n'avait plus personne avec qui parler tchèque, ses filles refusant de perdre leur temps avec une langue si évidemment inutile ; le français était pour elle la langue de tous les jours, sa seule langue ; rien ne lui avait donc été plus naturel que de l'imposer alors à son Suédois. Ce choix linguistique avait déterminé leurs rôles : puisque Gustaf parlait mal le français, c'est elle qui dans leur couple était la meneuse de la parole ; elle s'enivrait de sa propre éloquence : mon Dieu, après si longtemps, elle pouvait enfin parler, parler et être écoutée ! Sa supériorité verbale avait équilibré leur rapport de forces : elle dépendait entièrement de lui mais, dans leurs conversations, elle le dominait et l'entraînait dans son monde à elle.

Or, Prague remodelait le langage de leur couple ; il parlait anglais, elle essayait de persister dans son français auquel elle se sentait de plus en plus attachée, mais n'ayant aucun soutien extérieur (le français n'exerçait plus de charme dans cette ville jadis francophile), elle finit par capituler ; leurs rapports s'inversèrent : à Paris, Gustaf avait écouté attentivement Irena assoiffée de sa propre parole ; à Prague, c'est lui qui devint parleur, grand parleur, long parleur. Connaissant mal l'anglais, Irena ne comprenait qu'à moitié ce qu'il disait, et comme elle n'avait pas envie de faire d'efforts, elle l'écoutait peu et lui parlait encore moins. Son Grand Retour se révéla bien curieux : dans les rues, entourée de Tchèques, le souffle d'une familiarité d'antan la caressait et, un instant, la rendait heureuse ; puis, rentrée à la maison, elle devenait une étrangère qui se taisait.

Une conversation continue berce les couples, son courant mélodieux jette un voile sur les désirs déclinants du corps. Quand la conversation s'interrompt, l'absence d'amour physique surgit tel un spectre. Face au mutisme d'Irena, Gustaf perdit son assurance. Il préféra dès lors la voir en présence de sa famille, de sa mère, de son demi-frère, de l'épouse de celui-ci ; il dînait avec eux tous à la villa ou au restaurant, cherchant dans leur compagnie un abri, un refuge, la paix. Ils n'étaient jamais en mal de sujets car ils ne pouvaient en aborder que très peu : leur vocabulaire était limité et pour se faire comprendre ils devaient tous parler lentement et en se répétant. Gustaf était en passe de retrouver sa sérénité ; ce babillage au ralenti lui convenait, était reposant, agréable et même gai (combien de fois ont-ils ri de mots anglais comiquement déformés !).

Depuis longtemps, les yeux d'Irena étaient vides de désir mais, par la force de l'habitude, restaient toujours grands ouverts sur Gustaf et le mettaient dans l'embarras. Pour brouiller les pistes et masquer son repli érotique, il se complaisait dans des anecdotes aimablement grivoises, dans des allusions plaisamment équivoques, prononcées à voix haute et en riant. La mère était son meilleur allié, toujours prête à le seconder par des drôleries graveleuses qu'elle proférait d'une façon outrée, parodique, dans son anglais puéril. En les écoutant, Irena avait l'impression que l'érotisme s'était transformé à jamais en une pitrerie d'enfants.

27

Depuis qu'elle a rencontré Josef à Paris, elle ne pense plus qu'à lui. Elle se remémore sans cesse leur brève aventure de jadis à Prague. Dans le bar où elle s'était installée avec des amis, il était plus mûr, plus intéressant que les autres ; amusant, séduisant, il ne s'occupait que d'elle. Quand ils étaient tous sortis dans la rue, il s'était arrangé pour qu'ils restent seuls. Il lui avait glissé dans la main un petit cendrier qu'il avait volé pour elle dans le bar. Puis cet homme qu'elle ne connaissait que depuis quelques heures l'avait invitée chez lui. Fiancée avec Martin, elle n'avait pas trouvé le courage et avait renoncé. Mais aussitôt elle avait ressenti un regret si brusque et si perçant qu'elle ne l'a jamais oublié.

Aussi, avant son départ pour l'émigration, quand elle faisait le tri entre ce qu'elle prendrait et ce qu'elle abandonnerait, avait-elle mis le petit cendrier de bar dans une valise ; à l'étranger, elle le portait souvent dans son sac à main, secrètement, comme un porte-bonheur.

Elle se rappelle que, dans la salle d'attente de l'aéroport, il lui a dit sur un ton grave et étrange : «Je suis un homme absolument libre.» Elle a eu l'impression que leur histoire d'amour, commencée vingt ans plus tôt, avait seulement été reportée au moment où ils seraient libres tous les deux.

Et elle se rappelle une autre phrase de lui : «C'est tout à fait par hasard que je passe par Paris»; hasard, c'est une autre façon de dire : destin; il a fallu qu'il passe par Paris pour que leur histoire continue là où elle s'était interrompue.

Le téléphone portable à la main, elle essaie de l'appeler de partout où elle se trouve, d'un café, de l'appartement d'une amie, de la rue. Le numéro de l'hôtel est bon, mais il n'est jamais dans sa chambre. Toute la journée elle pense à lui et, comme les contraires s'attirent, à Gustaf. Quand elle passe à côté d'une boutique de souvenirs, elle voit en vitrine un tee-shirt avec la tête morne d'un tuberculeux et une inscription en anglais : *Kafka was born in Prague*. Ce tee-shirt, si superbement bête, la ravit et elle l'achète.

Vers le soir, elle se rend à la maison avec l'idée de téléphoner tranquillement de là car, le vendredi, Gustaf rentre toujours tard; contre toute attente, il est au rez-de-chaussée avec la mère, et la pièce résonne de leur babil tchéco-anglais auquel se mêle la voix d'un téléviseur que personne ne regarde. Elle tend un petit paquet à Gustaf : «C'est pour toi!»

Puis elle les laisse admirer le cadeau et monte au premier étage où elle s'enferme dans les W.-C. Assise sur le bord de la cuvette, elle retire le téléphone de son sac. Elle entend son «enfin!» et, comblée de joie, lui dit : «Comme je voudrais que tu sois ici, avec moi, là où je suis»; ce n'est qu'après avoir prononcé ces mots qu'elle prend conscience de l'endroit où elle est assise et rougit; l'indécence involontaire de ce qu'elle a dit la surprend et, aussitôt, l'excite. À ce moment, pour la première fois après tant d'années, elle a l'impression de tromper son Suédois et en ressent un vicieux plaisir.

Quand elle redescend au salon, Gustaf est vêtu du tee-shirt et rit bruyamment. Elle connaît par cœur ce spectacle : parodie de séduction, drôleries exagérées : ersatz sénile de l'érotisme éteint. La mère tient Gustaf par la main et annonce à Irena : «Sans ton approbation je me suis permis d'habiller ton bien-aimé. N'est-il pas beau?» Elle se tourne avec lui vers une grande glace fixée au mur du salon. Observant leur image, elle lève le bras de Gustaf comme s'il était le vainqueur d'une compétition aux jeux Olympiques et lui, jouant docilement le jeu, gonfle la poitrine face à la glace et prononce de sa voix sonore : «Kafka was born in Prague!»

28

La lycéenne s'était séparée de son premier amoureux sans grande douleur. Avec le second cela fut pire. Quand elle l'entendit dire : «Si tu y vas, c'est la fin entre nous. Je te le jure, la fin!», elle ne put prononcer un seul mot. Elle l'aimait et il lui jetait au visage ce qui, seulement quelques moments avant, lui aurait paru inconcevable, imprononçable : leur rupture.

«C'est la fin entre nous.» La fin. S'il lui promet la fin, que doit-elle lui promettre, elle? Sa phrase contient une menace, la sienne en contiendra une aussi : «D'accord, dit-elle lentement et gravement. Ce sera donc la fin. Je te le promets moi aussi et tu t'en souviendras. » Puis elle lui tourna le dos, le laissant planté dans la rue.

Elle était blessée, mais se fâchait-elle contre lui ? Peut-être même pas. Bien entendu, il aurait dû être plus compréhensif, car il était clair qu'elle ne pouvait pas se dérober au voyage, qui était obligatoire. Elle aurait été forcée de simuler une maladie mais, avec son honnêteté maladroite, elle n'aurait pas réussi. Sans aucun doute, il exagérait, il était injuste, mais elle savait qu'il l'était parce qu'il l'aimait. Elle connaissait sa jalousie : il l'imaginait à la montagne avec d'autres garçons et il en souffrait.

Incapable de se fâcher vraiment, elle l'attendit devant le lycée pour lui expliquer qu'avec la meilleure volonté du monde elle ne pouvait pas lui obéir et qu'il n'avait aucune raison d'être jaloux ; elle était sûre qu'il ne pourrait pas ne pas comprendre. Sur le seuil, il la vit et s'arrêta pour se faire accompagner par un camarade. Privée de tête-à-tête, elle le suivit dans la rue et, quand il prit congé du camarade, elle se précipita vers lui. La pauvre, elle aurait dû se douter que tout était perdu, que son ami était sous l'emprise d'une frénésie qui ne le lâchait plus. À peine commença-t-elle à lui parler qu'il l'interrompit : «Tu as changé d'avis ? Tu vas renoncer ?» Quand elle recommença à lui expliquer la même chose pour la dixième fois, ce fut lui qui tourna les talons et la laissa seule au milieu de la rue.

Elle retomba dans une profonde tristesse, mais toujours sans colère contre lui. Elle savait que l'amour signifie tout se donner l'un à l'autre. Tout : le mot fondamental. Tout, donc pas seulement l'amour physique qu'elle lui avait promis, mais aussi le courage, le courage pour des choses grandes ainsi que pour des petites, c'est-à-dire même cet infime courage de désobéir à un ordre ridicule de l'école. Et elle constata, honteuse, que malgré tout son amour, ce courage, elle n'était pas capable de le trouver. Comme c'était grotesque, grotesque à pleurer : elle était prête à tout lui donner, sa virginité bien sûr mais aussi, s'il le voulait, sa santé, n'importe quel sacrifice qu'il puisse imaginer, et en même temps elle était incapable de désobéir à un misérable proviseur. Devait-elle se laisser vaincre par une telle petitesse? L'insatisfaction qu'elle éprouvait à l'égard d'elle-même fut insupportable et elle voulut à tout prix s'en affranchir; elle voulut atteindre une grandeur dans laquelle sa petitesse se perdrait; une grandeur devant laquelle il finirait par s'incliner; elle voulut mourir.

29

Mourir; décider de mourir; c'est beaucoup plus facile pour un adolescent que pour un adulte. Quoi? La mort ne prive-t-elle pas l'adolescent d'une part d'avenir beaucoup plus grande? Certes, mais pour un jeune, l'avenir est une chose lointaine, abstraite, irréelle, à laquelle il ne croit pas vraiment.

Médusée, elle regardait son amour rompu, le plus beau morceau de sa vie, qui s'éloignait, lentement et à jamais; rien n'existait pour elle que ce passé; c'est à lui qu'elle voulait se montrer, auquel elle voulait parler et envoyer des signes. L'avenir ne l'intéressait pas ; elle désirait l'éternité ; l'éternité, c'est le temps qui s'est arrêté, qui s'est immobilisé ; l'avenir rend l'éternité impossible ; elle désirait annihiler l'avenir.

Mais comment mourir au milieu d'une foule d'étudiants, dans un petit hôtel de montagne, sans cesse à la vue de tous ? Elle a trouvé : sortir de l'hôtel, aller loin, très loin dans la nature et, quelque part à l'écart des chemins, s'allonger sur la neige et s'endormir. La mort viendra dans le sommeil, la mort par le gel, la mort douce, sans douleur. Il lui faudra seulement traverser un petit moment de froid. Elle pourra d'ailleurs le raccourcir à l'aide de quelques cachets de somnifère. Dans un tube déniché à la maison, elle en a pris cinq, pas plus, pour que maman ne s'aperçoive de rien.

Elle a planifié sa mort avec tout son sens pratique. Sortir le soir et mourir la nuit, telle a été sa première idée, mais elle l'a repoussée : on s'apercevrait tout de suite de son absence à la salle à manger lors du dîner et encore plus sûrement au dortoir ; elle n'aurait pas le temps de mourir. Rusée, elle a choisi le moment après le déjeuner quand tout le monde fait la sieste avant d'aller skier : un répit pendant lequel son absence n'inquiétera personne.

Ne voyait-elle pas une disproportion criante entre l'insignifiance de la cause et l'énormité de l'acte ? Ne savait-elle pas que son projet était une outrance ? Si, mais c'est précisément l'outrance qui l'attirait. Elle ne voulait pas être raisonnable. Elle ne voulait pas se comporter d'une façon mesurée. Elle ne voulait pas mesurer, elle ne voulait pas raisonner. Elle admirait sa passion, sachant que la passion, par définition, est outrance. Enivrée, elle ne voulait pas sortir de l'ivresse.

Puis arrive le jour qu'elle a choisi. Elle sort de l'hôtel. À côté de la porte est suspendu un thermomètre : dix degrés au-dessous de zéro. Elle se met en route et constate que son enivrement est relayé par l'angoisse ; vainement, elle cherche son envoûtement, vainement, elle appelle les idées qui ont accompagné son rêve de mort; pourtant, elle continue son chemin (ses condisciples font en ce moment leur sieste obligatoire) comme si elle remplissait une tâche qu'elle se serait ordonnée, comme si elle jouait un rôle qu'elle se serait écrit. Son âme est vide, sans aucun sentiment, telle l'âme d'un acteur qui récite un texte et ne pense plus à ce qu'il dit.

Elle monte par un chemin qui brille de neige et se trouve bientôt sur la crête. Le ciel au-dessus est bleu; les nombreux nuages, ensoleillés, dorés, enjoués, sont descendus plus bas, posés comme une grande couronne sur le large cercle des montagnes alentour. C'est beau, c'est fascinant et elle éprouve un sentiment bref, tout bref, de bonheur, qui lui fait oublier le but de sa marche. Sentiment bref, tout bref, trop bref. L'un après l'autre, elle avale les comprimés et, suivant son plan, descend de la crête vers une forêt. Elle prend un sentier, au bout de dix minutes elle sent approcher le sommeil et sait que la fin est là. Le soleil est au-dessus de sa tête, lumineux, lumineux. Comme si, soudainement, le rideau se levait, son cœur se serre de trac. Elle se sent piégée sur une scène éclairée où toutes les sorties sont fermées.

Elle s'assoit sous un sapin, ouvre son sac et en retire un miroir. C'est un petit miroir rond, elle le tient devant son visage et elle s'y regarde. Elle est belle, elle est très belle, et elle ne veut pas quitter cette beauté, elle ne veut pas la perdre, elle veut l'emporter avec elle, ah, elle est déjà fatiguée, si fatiguée, mais même fatiguée elle s'extasie sur sa beauté car c'est ce que, dans ce monde, elle a de plus cher.

Elle se regarde dans le miroir, puis elle voit ses lèvres frémir. C'est un mouvement incontrôlé, un tic. Elle a déjà constaté plusieurs fois cette réaction chez elle, elle l'a sentie sur son visage mais c'est la première fois qu'elle la voit. En la voyant, elle est doublement émue : émue de sa beauté et émue de ses lèvres qui frémissent ; émue de sa beauté et émue de l'émotion qui ébranle cette beauté et la déforme ; émue de sa beauté que son corps pleure. Une immense pitié l'envahit pour sa beauté qui bientôt ne sera pas, pitié pour le monde qui ne sera pas non plus, qui, déjà, n'existe plus, qui, déjà, est inaccessible, car le sommeil est là, l'emporte, s'envole avec elle, haut, très haut, vers cette immense clarté aveuglante, vers le ciel bleu, lumineusement bleu.

30

Quand son frère lui dit : «Tu t'es marié là-bas, autant que je sache», il répondit : «Oui», sans rien ajouter de plus. Peut-être aurait-il suffi que le frère utilise une autre tournure et, au lieu de «tu t'es marié», qu'il demande : «Tu es marié?» En ce cas Josef aurait répondu : «Non, je suis veuf.» Il n'avait pas l'intention de tromper son frère, mais la façon dont celui-ci formula sa phrase lui permit, sans mentir, de taire la mort de sa femme.

Pendant la conversation qui suivit, son frère et sa belle-sœur évitèrent toute allusion à elle. Évidemment, c'était par embarras : pour des raisons de sécurité (pour éviter les convocations de la police) ils s'étaient interdit le moindre contact avec leur parent émigré et ne s'étaient même pas rendu compte que cette prudence imposée s'était bientôt transformée en un désintérêt sincère : ils ne savaient rien de sa femme, ni son âge, ni son prénom, ni sa profession et, par leur silence, ils voulaient dissimuler cette ignorance qui révélait toute la misère de leurs rapports avec lui.

Mais Josef ne s'offensa pas ; leur ignorance lui convenait. Depuis qu'il l'avait enterrée, il se sentait toujours mal à l'aise lorsqu'il était obligé d'informer quelqu'un de sa mort ; comme s'il la trahissait ainsi dans sa plus intime intimité. En taisant sa mort, il avait toujours le sentiment de la protéger.

Car la femme morte est une femme sans défense ; elle n'a plus de pouvoir, elle n'a plus d'influence ; on ne respecte plus ni ses souhaits ni ses goûts ; la femme morte ne peut rien vouloir, aspirer à aucune estime, réfuter aucune calomnie.

Jamais il n'avait ressenti pour elle une compassion aussi douloureuse, aussi torturante, que lorsqu'elle fut morte.

31

Jonas Hallgrimsson était un grand poète romantique et aussi un grand combattant pour l'indépendance de l'Islande. Toute l'Europe des petites nations connaissait au XIXᵉ siècle ces poètes romantiques et patriotes : Petöfi en Hongrie, Mickiewicz en Pologne, Preseren en Slovénie, Macha en Bohême, Chevtchenko en Ukraine, Wergeland en Norvège, Lönnrot en Finlande et j'en passe. L'Islande était alors une colonie du Danemark et Hallgrimsson vivait ses dernières années dans la capitale. Tous les grands poètes romantiques, en plus d'être grands patriotes, étaient grands buveurs. Un jour, ivre mort, Hallgrimsson tomba dans un escalier, se cassa une jambe, eut une infection, mourut et fut enterré au cimetière de Copenhague. C'était en 1845. Quatre-vingt-dix-neuf ans plus tard, en

1944, la République islandaise fut procla-
mée. Dès lors les événements accélérèrent
leur course. En 1946, l'âme du poète visita
un riche industriel islandais dans son sommeil et s'ouvrit à lui : «Depuis cent un ans
mon squelette gît à l'étranger, dans le pays
ennemi. Le moment n'est-il pas venu pour
qu'il retourne en son Ithaque libre?»

Flatté et exalté par cette visite nocturne,
l'industriel patriote fit retirer le squelette
du poète de la terre ennemie et l'emporta
en Islande, songeant à l'inhumer dans la
belle vallée où le poète était né. Mais personne ne put arrêter la course folle des
événements : dans le paysage indicible-
ment beau de Thingvellir (l'endroit sacré
où, il y a mille ans, le premier parlement
islandais se réunissait sous le ciel), les
ministres de la toute nouvelle République
avaient créé un cimetière pour les grands
hommes de la patrie; ils ravirent le poète à
l'industriel et l'enterrèrent au Panthéon
qui ne contenait alors que la seule tombe
d'un autre grand poète (les petites nations
débordent de grands poètes), Einar Bene-
diktsson.

Mais les événements se précipitèrent encore et bientôt tout le monde apprit ce que l'industriel patriote avait eu honte d'avouer : planté devant la tombe ouverte à Copenhague, il s'était senti bien embêté : le poète était enterré parmi les pauvres, sa tombe ne portait aucun nom, seulement un numéro, et l'industriel patriote, face à plusieurs squelettes entrelacés les uns dans les autres, n'avait pas su lequel choisir. En présence des sévères et impatients bureaucrates du cimetière, il n'avait pas osé montrer ses hésitations. Ainsi avait-il emporté en Islande non pas le poète islandais mais un boucher danois.

En Islande, on avait d'abord voulu tenir secrète cette méprise lugubrement comique mais les événements continuèrent leur course et, en 1948, l'indiscret Halldor Laxness divulgua le pot aux roses dans un roman. Que faire ? Se taire. Le squelette de Hallgrimsson gît donc toujours à deux mille kilomètres de son Ithaque, dans le pays ennemi, tandis que le corps du boucher danois, qui sans être poète était lui aussi patriote, se trouve banni dans une île glaciale qui n'a jamais éveillé en lui que peur et répugnance.

Même tenue secrète, la vérité eut pour résultat qu'on n'enterra plus personne dans le beau cimetière de Thingvellir qui n'abrite que deux cercueils, et est ainsi, de tous les Panthéons du monde, ces grotesques musées de l'orgueil, le seul capable de nous toucher.

Il y a très longtemps, sa femme avait raconté cette histoire à Josef; elle leur apparaissait drôle et une leçon morale semblait facilement s'en dégager : où se trouvent les os d'un mort, on s'en fiche.

Et pourtant Josef changea d'avis quand la mort de sa femme devint proche et inéluctable. D'emblée, l'histoire du boucher danois emporté de force en Islande lui apparut non pas drôle, mais effrayante.

32

Mourir en même temps qu'elle, cette idée l'attirait depuis longtemps. Elle n'était pas due à une emphase romantique, plutôt à une réflexion rationnelle : dans le cas d'une maladie mortelle de sa femme, il avait décidé d'abréger sa souffrance ; pour ne pas être accusé de meurtre, il comptait mourir lui aussi. Puis elle tomba vraiment malade, désespérément malade, et Josef ne pensa plus au suicide. Non pas par peur pour sa propre vie. Mais l'idée lui fut intolérable de laisser ce corps tellement aimé à la merci de mains étrangères. Lui mort, qui protégerait la morte ? Comment un cadavre en défendrait-il un autre ?

Jadis, en Bohême, il avait assisté à l'agonie de sa mère ; il l'aimait beaucoup, mais dès l'instant où elle ne fut plus en vie, son corps cessa de l'intéresser ; pour lui, son cadavre n'était plus elle. D'ailleurs, deux médecins, son père et son frère, prenaient soin de la mourante et lui, dans l'ordre d'importance, n'était que le troisième de la famille. Cette fois, tout fut différent : la femme qu'il vit agoniser n'appartenait qu'à lui ; il était jaloux de son corps et voulait veiller à son destin posthume. Il devait même s'admonester : elle était encore vivante, allongée devant lui, elle lui parlait, et il la pensait déjà morte ; elle le regardait, ses yeux plus grands que jamais, et il s'occupait en esprit de son cercueil et de sa tombe. Il se le reprochait comme une scandaleuse trahison, une impatience, un désir secret de précipiter sa mort. Mais il n'y pouvait rien : il savait qu'après le décès, sa famille viendrait la revendiquer pour le caveau familial, et cette idée l'horrifiait.

Méprisant les soucis funéraires, ils avaient rédigé, jadis, trop négligemment leur testament ; les directives concernant leurs biens étaient on ne peut plus simples et celles concernant l'enterrement, ils ne les avaient même pas mentionnées. Cette omission l'obséda alors qu'elle se mourait, mais puisqu'il voulait la persuader qu'elle vaincrait la mort il dut se taire. Comment avouer à la malheureuse qui croyait toujours à sa guérison, comment lui avouer à quoi il pensait ? Comment parler du testament ? D'autant plus qu'elle se perdait déjà dans des délires et que ses idées s'embrouillaient.

La famille de sa femme, une grande

famille influente, n'avait jamais aimé Josef. Il lui semblait que le combat qui éclaterait pour le corps de sa femme serait le plus dur et le plus important qu'il aurait jamais à livrer. L'idée que ce corps pourrait être enfermé dans une promiscuité obscène avec d'autres corps, étrangers, indifférents, lui était insupportable, ainsi que l'idée que lui-même, une fois mort, se trouverait on ne sait où et, à coup sûr, loin d'elle. Permettre cela lui paraissait une défaite immense comme l'éternité, une défaite à jamais impardonnable.

Ce dont il avait peur advint. Il ne put éviter le choc. Sa belle-mère cria contre lui. «C'est ma fille! C'est ma fille!» Il dut engager un avocat, laisser une grosse somme pour calmer la famille, acheter rapidement une place au cimetière, agir plus vite que les autres pour gagner le dernier combat.

L'activité fébrile d'une semaine sans sommeil l'empêcha de souffrir, mais il se passa quelque chose de plus étrange encore : quand elle fut dans la tombe qui était la leur (une tombe pour deux, comme une calèche pour deux), il entrevit frémir,

à peine visible dans l'obscurité de sa tristesse, un rayon, un frêle rayon de bonheur.
Bonheur de ne pas avoir déçu sa bien-
aimée ; d'avoir assuré, pour elle et pour lui,
leur avenir.

33

Un instant avant, elle était diluée dans
le bleu radieux ! Elle était immatérielle,
transmuée en clarté !

Puis, subitement, le ciel fut noir. Et
elle, retombée sur terre, redevint matière
lourde et sombre. Comprenant à peine ce
qui s'était passé, elle ne pouvait arracher
son regard de là-haut : le ciel était noir,
noir, implacablement noir.

Une partie de son corps grelottait de
froid, l'autre était insensible. Cela l'ef-
fraya. Elle se leva. Après quelques longues
secondes, elle se souvint : un hôtel à la montagne ; les camarades de lycée. Confuse, le
corps tremblant, elle chercha le chemin. À
l'hôtel, on appela une ambulance qui l'emmena.

Au cours des jours suivants, sur son lit d'hôpital, ses doigts, ses oreilles, son nez, d'abord insensibles, lui firent affreusement mal. Les médecins la calmèrent mais une infirmière se réjouit de lui raconter toutes les conséquences concevables du gel : on peut finir par être amputé des doigts. Frappée d'effroi, elle imagina une hache ; une hache de chirurgien ; une hache de boucher ; elle imagina sa main sans doigts et les doigts coupés déposés près d'elle sur une table d'opération, sous ses yeux. Le soir, au repas, on lui apporta de la viande. Elle ne put manger. Elle imagina dans l'assiette des morceaux de sa propre chair.

Ses doigts, douloureusement, revinrent à la vie, mais son oreille gauche devint noire. Le chirurgien, vieux, triste, compatissant, s'assit sur son lit pour lui annoncer l'amputation. Elle cria. Son oreille gauche ! Son oreille ! Mon Dieu, elle cria. Son visage, son beau visage, avec une oreille coupée ! Personne ne put la calmer.

Oh, comme tout s'était passé à l'encontre de ce qu'elle avait voulu ! Elle avait pensé devenir une éternité qui abolirait tout l'avenir, et au lieu de cela l'avenir fut à nouveau là, invincible, hideux, répugnant, comme un serpent qui se tortille devant elle, se frotte contre ses jambes et avance en rampant pour lui indiquer le chemin.

Au lycée, la nouvelle se répandit qu'elle s'était égarée et était revenue couverte de gelures. On blâma l'indisciplinée qui, en dépit du programme obligatoire, vagabondait bêtement, n'ayant même pas le sens élémentaire de l'orientation pour retrouver l'hôtel, visible pourtant de loin.

De retour à la maison, elle refusa de sortir dans la rue. Elle eut horreur de rencontrer les gens qu'elle connaissait. Ses parents, désespérés, arrangèrent son passage discret dans un autre lycée, dans une ville voisine.

Oh, comme tout s'était passé à l'encontre de ce qu'elle avait voulu ! Elle avait rêvé de mourir par le gel sur la neige, mystérieusement. Elle avait tout fait pour que personne ne puisse savoir si sa mort était un accident ou un suicide. Elle avait voulu lui envoyer sa mort tel un signe secret, un signe d'amour venu de l'au-delà, compréhensible pour lui seul. Elle avait tout bien prévu sauf, peut-être, le nombre de somnifères, sauf, peut-être, la température qui, pendant qu'elle s'assoupissait, était remontée. Elle avait pensé que le gel allait la plonger dans le sommeil et dans la mort, mais le sommeil était trop faible; elle avait ouvert les yeux et vu le ciel noir.

Les deux ciels avaient divisé sa vie en deux parties : le ciel bleu, le ciel noir. C'est sous cet autre ciel qu'elle allait marcher vers sa mort, vers sa vraie mort, la mort lointaine et triviale de la vieillesse.

Et lui? Il vivait sous un ciel qui n'existait pas pour elle. Il ne la recherchait plus, elle ne le recherchait plus. Son souvenir n'éveillait en elle ni amour ni haine. Pensant à lui, elle était comme anesthésiée, sans idées, sans émotions.

34

Disons que la vie humaine est longue de quatre-vingts ans. C'est à peu près pour cette durée que chacun imagine et organise sa vie. Ce que je viens de dire, tout le monde le sait mais on se rend rarement compte que le nombre d'années qui nous est imparti n'est pas une simple donnée quantitative, une caractéristique extérieure (comme la longueur du nez ou la couleur des yeux), mais qu'il fait partie de la définition même de l'homme. Celui qui pourrait vivre, dans toute sa force, deux fois plus longtemps, donc, disons, cent soixante ans, n'appartiendrait pas à la même espèce que nous. Rien ne serait plus pareil dans sa vie, ni l'amour, ni les ambitions, ni les sentiments, ni la nostalgie, rien. Si un émigré, après vingt ans vécus à l'étranger, revenait au pays natal avec encore cent ans de vie devant lui, il n'éprouverait guère l'émotion d'un Grand Retour, probablement que pour lui cela ne serait pas du tout un retour, seulement l'un des nombreux détours sur le long parcours de son existence.

Car la notion même de patrie, dans le sens noble et sentimental de ce mot, est liée à la relative brièveté de notre vie qui nous procure trop peu de temps pour que nous nous attachions à un autre pays, à d'autres pays, à d'autres langues.

Les rapports érotiques peuvent remplir toute la vie adulte. Mais si cette vie était beaucoup plus longue, la lassitude n'étoufferait-elle pas la capacité d'excitation longtemps avant que les forces physiques ne déclinent? Car il y a une énorme différence entre le premier, le dixième, le centième, le millième ou le dix millième coït. Où se trouve la frontière derrière laquelle la répétition deviendra stéréotypée, sinon comique, voire impossible? Et cette limite franchie, que deviendra la relation amoureuse entre un homme et une femme? Disparaîtra-t-elle? Ou, au contraire, les amants tiendront-ils la phase sexuelle de leur vie pour la préhistoire barbare d'un vrai amour? Répondre à ces questions est aussi facile qu'imaginer la psychologie des habitants d'une planète inconnue.

La notion d'amour (de grand amour, d'amour unique) est née elle aussi, probablement, des limites étroites du temps qui nous est donné. Si ce temps était sans limites, Josef serait-il à ce point attaché à sa femme défunte ? Nous qui devons mourir si tôt, nous n'en savons rien.

35

La mémoire, elle non plus, n'est pas compréhensible sans une approche mathématique. La donnée fondamentale, c'est le rapport numérique entre le temps de la vie vécue et le temps de la vie stockée dans la mémoire. On n'a jamais essayé de calculer ce rapport et il n'existe d'ailleurs aucun moyen technique de le faire ; pourtant, sans grand risque de me tromper, je peux supposer que la mémoire ne garde qu'un millionième, un milliardième, bref, une parcelle tout à fait infime de la vie vécue. Cela aussi fait partie de l'essence de l'homme. Si quelqu'un pouvait détenir dans sa mémoire tout ce qu'il a vécu, s'il pouvait à n'importe quel moment évoquer n'importe quel fragment de son passé, il n'aurait rien à voir avec les humains : ni ses amours, ni ses amitiés, ni ses colères, ni sa faculté de pardonner ou de se venger ne ressembleraient aux nôtres.

On n'en finira jamais de critiquer ceux qui déforment le passé, le réécrivent, le falsifient, qui amplifient l'importance d'un événement, en taisent un autre ; ces critiques sont justes (elles ne peuvent pas ne pas l'être) mais elles n'ont pas grande importance si une critique plus élémentaire ne les précède : la critique de la mémoire humaine en tant que telle. Car que peut-elle vraiment, la pauvre ? Elle n'est capable de retenir du passé qu'une misérable petite parcellette sans que personne ne sache pourquoi justement celle-ci et non pas une autre, ce choix, chez chacun de nous, se faisant mystérieusement, hors de notre volonté et de nos intérêts. On ne comprendra rien à la vie humaine si on persiste à escamoter la première de toutes les évidences : une réalité telle qu'elle était quand elle était n'est plus ; sa restitution est impossible.

Même les archives les plus abondantes n'y peuvent rien. Considérons le vieux journal de Josef comme une pièce d'archive conservant les notes du témoin authentique d'un passé ; les notes parlent des événements que leur auteur n'a pas de raisons de nier mais que sa mémoire ne peut confirmer non plus. De tout ce que le journal raconte, un seul détail a allumé un souvenir net et, certainement, précis : il s'est vu sur un chemin de forêt racontant à une lycéenne le mensonge de son déménagement à Prague ; cette petite scène, plus exactement cette ombre de scène (car il ne se rappelle que le sens général de son propos et le fait d'avoir menti), est la seule parcelle de vie qui, ensommeillée, est restée stockée dans sa mémoire. Mais elle est isolée de ce qui l'a précédée et de ce qui l'a suivie : par quel propos, par quel acte la lycéenne l'a-t-elle incité à inventer ce bobard ? Et que s'est-il passé les jours suivants ? Combien de temps a-t-il persisté dans sa tromperie ? Et comment s'en est-il sorti ?

Voudrait-il raconter ce souvenir comme une petite anecdote qui ait un sens, il serait obligé de l'insérer dans une suite causale d'autres événements, d'autres actes et d'autres paroles ; et puisqu'il les a oubliés, il ne lui resterait qu'à les inventer ; non pas pour tricher, mais pour rendre le souvenir intelligible ; ce que, d'ailleurs, il a fait spontanément pour lui-même quand il était encore penché sur les lignes du journal :

le morveux était désespéré de ne trouver dans l'amour de sa lycéenne aucune marque d'extase ; quand il lui touchait la croupe, elle lui enlevait la main ; pour la punir, il lui dit qu'il allait déménager à Prague ; chagrinée, elle se laissa peloter et déclara qu'elle comprenait les poètes qui jusqu'à la mort restaient fidèles ; tout se passa donc pour son plus grand bonheur, sauf qu'après une semaine ou deux la fille déduisit du déménagement programmé de son ami qu'il lui fallait le remplacer à temps par un autre ; elle se mit à le chercher, le morveux le devina et ne put dompter sa jalousie ; sous le prétexte d'un séjour à la montagne où elle devait se rendre sans lui, il lui fit une scène d'hystérie ; il se ridiculisa ; elle le lâcha.

Quoiqu'il ait voulu être au plus proche

de la vérité, Josef ne pouvait pas prétendre que son anecdote était identique à ce qu'il avait vraiment vécu; il savait que ce n'était que du vraisemblable plaqué sur de l'oublié.

J'imagine l'émotion de deux êtres qui se revoient après des années. Jadis, ils se sont fréquentés et pensent donc être liés par la même expérience, par les mêmes souvenirs. Les mêmes souvenirs? C'est là que le malentendu commence : ils n'ont pas les mêmes souvenirs; tous deux gardent de leurs rencontres deux ou trois petites situations, mais chacun a les siennes; leurs souvenirs ne se ressemblent pas; ne se recoupent pas; et même quantitativement, ils ne sont pas comparables : l'un se souvient de l'autre plus que celui-ci ne se souvient de lui; d'abord parce que la capacité de mémoire diffère d'un individu à l'autre (ce qui serait encore une explication acceptable pour chacun d'eux) mais aussi (et cela est plus pénible à admettre) parce qu'ils n'ont pas, l'un pour l'autre, la même importance. Quand Irena vit Josef à l'aéroport, elle se rappelait chaque détail de leur aventure passée ; Josef ne se rappelait rien. Dès la première seconde, leur rencontre reposait sur une inégalité injuste et révoltante.

36

Si deux êtres vivent dans le même appartement, se voient tous les jours et, en plus, s'aiment, leurs conversations quotidiennes accordent leurs deux mémoires : par consentement tacite et inconscient, ils lâchent dans l'oubli de vastes zones de leur vie et parlent et reparlent des quelques mêmes événements dont ils tissent le même récit qui, telle une brise dans des ramures, murmure au-dessus de leurs têtes et leur rappelle constamment qu'ils ont vécu ensemble.

Quand Martin mourut, le courant violent des soucis emporta Irena loin de lui et de ceux qui le connaissaient. Il disparut des conversations, et même ses deux filles, trop petites lorsqu'il était en vie, ne s'intéressèrent plus à lui. Un jour, elle rencontra

Gustaf qui, pour pouvoir prolonger leur entretien, lui confia avoir connu son mari. Ce fut la dernière fois que Martin fut avec elle, fort, important, influent, lui servant de passerelle vers son prochain amant. Après avoir accompli cette mission, il s'effaça à jamais.

Longtemps auparavant, à Prague, le jour de leur mariage, Martin avait installé Irena dans sa villa; ayant sa bibliothèque et son bureau au premier étage, il avait réservé le rez-de-chaussée à sa vie d'époux et de père; avant le départ pour la France, il avait cédé la villa à sa belle-mère qui, vingt ans plus tard, offrit le premier étage, entièrement remeublé entre-temps, à Gustaf. Milada, quand elle vint y voir Irena, se rappela son ancien collègue : «Ici, Martin a travaillé», dit-elle, songeuse. Pourtant, aucune ombre de Martin n'apparut après ces mots. Depuis longtemps, il avait été délogé de la maison, lui et toutes ses ombres.

Après la mort de sa femme, Josef constata que, sans conversations quotidiennes, le murmure de leur vie passée s'affaiblissait. Pour l'intensifier, il s'efforça de faire revivre l'image de sa femme, mais l'indigence du résultat l'affligea. Elle avait une dizaine de sourires différents. Il obligea son imagination à les redessiner. Il échoua. Elle avait le don des répliques drôles et rapides qui l'enchantaient. Il ne fut capable d'en évoquer aucune. Un jour, il se demanda : s'il additionnait ce peu de souvenirs qui lui restaient de leur vie commune, combien de temps cela ferait-il? Une minute? Deux minutes?

Voilà encore une autre énigme de la mémoire, plus fondamentale que toutes les autres : les souvenirs ont-ils un volume temporel mesurable? se déroulent-ils dans une durée? Il veut se représenter leur première rencontre : il voit un escalier qui, du trottoir, descend dans la cave d'une brasserie; il voit des couples isolés dans une pénombre jaune; et il la voit, sa future femme, assise en face de lui, un verre d'eau-de-vie à la main, le regard fixé sur lui, avec un sourire timide. Pendant de longues minutes il l'observe, qui tient le verre, qui sourit, il scrute ce visage, cette main, et pendant tout ce temps elle restera immobile, ne lèvera pas le verre vers sa bouche, ne modifiera rien à son sourire. Et là est l'horreur : le passé dont on se souvient est dépourvu de temps. Impossible de revivre un amour comme on relit un livre ou comme on revoit un film. Morte, la femme de Josef n'a aucune dimension, ni matérielle ni temporelle.

Aussi les efforts pour la ressusciter dans son esprit devinrent-ils bientôt torture. Au lieu de se réjouir d'avoir redécouvert tel ou tel instant oublié, il fut désespéré par l'immensité du vide dont cet instant était entouré. Un jour, il s'interdit la douloureuse errance dans les couloirs du passé et mit un terme aux vains essais de la faire renaître telle qu'elle était. Il se dit même que par cette fixation sur son existence passée, il la reléguait traîtreusement dans un musée des objets perdus et l'excluait de sa vie présente.

D'ailleurs, ils n'avaient jamais voué un culte aux souvenirs. Bien sûr, ils n'avaient pas détruit leurs lettres intimes ni les agendas où étaient notées leurs obligations et leurs rencontres. Mais l'idée de les relire ne leur était jamais venue. Il décida donc de vivre avec la morte comme il avait vécu avec la vivante. Il n'allait plus sur sa tombe pour se la remémorer, mais pour être avec elle ; pour voir ses yeux qui le regardent, et qui le regardent non pas depuis le passé, mais depuis le moment présent.

Alors une vie nouvelle a commencé pour lui : la cohabitation avec la morte. Une nouvelle horloge s'est mise à organiser son temps. Éprise de propreté, elle se fâchait à cause du désordre qu'il laissait partout. Désormais, il fait seul le ménage, soigneusement. Car il aime leur chez-soi plus encore que de son vivant : la clôture basse en bois avec une petite porte ; le jardin ; le sapin devant la maison en brique rouge foncé ; les deux fauteuils, l'un en face de l'autre, où ils s'asseyaient après être rentrés du travail ; le rebord de la fenêtre où elle gardait toujours d'un côté un pot de fleurs, de l'autre une lampe ; cette lampe, ils la laissaient allumée pendant leur absence pour l'apercevoir de loin, dans la rue, lors de leur retour à la maison. Il respecte toutes ces habitudes et veille à ce que chaque chaise, chaque vase soit là où elle aimait le mettre.

Il revisite les endroits qu'ils ont aimés : le restaurant au bord de la mer où le patron n'oublie jamais de lui rappeler les poissons préférés de sa femme ; dans une petite ville voisine, le rectangle de la place avec des maisons peintes en rouge, en bleu, en jaune, d'une beauté modeste qui les envoûtait ; ou, en visite à Copenhague, le quai d'où, tous les jours à six heures du soir, un grand paquebot blanc prenait la mer. Là, ils étaient capables de rester immobiles de longues minutes pour le regarder. Avant le départ, de la musique retentissait, du vieux jazz, l'invitation au voyage. Depuis sa mort, il va souvent là-bas, il l'imagine à ses côtés et ressent leur désir commun de s'embarquer sur ce blanc navire nocturne, d'y danser, d'y dormir et de se réveiller quelque part, loin, très loin au nord.

Elle le voulait élégant et s'occupait elle-même de sa garde-robe. Il n'a pas oublié laquelle de ses chemises elle préférait, laquelle elle n'aimait pas. Pour ce séjour en Bohême, il a pris exprès un costume auquel elle était indifférente. Il n'a pas voulu accorder trop d'attention à ce voyage. Ce n'est pas un voyage pour elle, ni avec elle.

37

Toute à son rendez-vous du lendemain, Irena veut passer ce samedi dans le calme, comme une sportive à la veille d'une compétition. Gustaf est en ville où il aura un fastidieux déjeuner d'affaires, et même ce soir il ne sera pas à la maison. Elle profite de sa solitude, dort longtemps et reste ensuite chez elle, essayant de ne pas rencontrer sa mère ; de l'étage, elle entend son va-et-vient qui ne finit que vers midi. Quand un fort claquement de porte retentit enfin, sûre que sa mère est sortie, elle descend, mange quelque chose distraitement dans la cuisine et s'en va elle aussi.

Sur le trottoir, elle s'arrête, ensorcelée. Sous le soleil d'automne, ce quartier de jardins parsemés de petites villas révèle une beauté discrète qui lui serre le cœur et l'invite à une longue promenade. Il lui souvient d'avoir eu envie d'une telle promenade, longue et pensive, lors des derniers jours qui ont précédé son émigration, afin de faire ses adieux à cette ville, à toutes les rues qu'elle avait aimées; mais il y a eu trop de choses à organiser et elle n'a pas trouvé le temps.

Vue de là où elle déambule, Prague est une large écharpe verte de quartiers paisibles, avec de petites rues jalonnées d'arbres. C'est à cette Prague qu'elle est attachée, non à celle, somptueuse, du centre; à cette Prague née vers la fin du siècle passé, la Prague de la petite bourgeoisie tchèque, la Prague de son enfance où, en hiver, elle faisait du ski dans des ruelles qui montaient et descendaient, la Prague où les forêts d'alentour, à l'heure du crépuscule, entraient en secret répandre leur parfum.

Rêveuse, elle marche; pendant quelques secondes elle entr'aperçoit Paris qui, pour la première fois, lui apparaît hostile:

géométrie froide des avenues; orgueil des Champs-Élysées; visages sévères des femmes géantes, en pierre, qui représentent l'Égalité ou la Fraternité; et nulle part, nulle part, une seule touche de cette intimité aimable, un seul souffle de cette idylle qu'elle respire ici. D'ailleurs, durant toute son émigration c'est cette image qu'elle a gardée comme emblème de son pays perdu : de petites maisons dans des jardins qui s'étendent à perte de vue sur une terre vallonnée. Elle s'est sentie heureuse à Paris, plus qu'ici, mais un lien secret de beauté ne l'attachait qu'à Prague. Elle comprend soudain combien elle aime cette ville et combien son départ d'ici a dû être douloureux.

Elle se rappelle ces derniers jours fiévreux : dans la confusion des premiers mois de l'occupation, quitter le pays était encore facile et ils pouvaient sans crainte faire leurs adieux aux amis. Mais ils avaient trop peu de temps pour les voir tous. Sous l'impulsion du moment, deux jours avant leur départ, ils ont rendu visite à un vieil ami, célibataire, et passé avec lui quelques heures émues. Ce n'est que plus tard, en France, qu'ils ont appris que si cet homme leur manifestait depuis long-temps une aussi grande attention, c'est parce qu'il avait été choisi par la police pour moucharder Martin. La veille de leur départ, sans prévenir, elle a sonné à la porte d'une copine. Elle l'a surprise en pleine discussion avec une autre femme. Sans mot dire, elle a assisté un long moment à une conversation qui ne la concernait pas, attendant un geste, une phrase d'encouragement, un mot d'adieu ; en vain. Avaient-elles oublié qu'elle par-tait ? Ou faisaient-elles semblant de l'ou-blier ? Ou était-ce que ni sa présence ni son absence ne leur importait plus ? Et sa mère. Au moment du départ, elle ne l'a pas embrassée. Elle a embrassé Martin, pas elle. À Irena, elle a serré fermement une épaule, tout en proférant de sa voix sonore : «Nous n'aimons pas étaler nos sentiments !» Les mots se voulaient virile-ment cordiaux, mais ils étaient glaçants. Se souvenant maintenant de tous ces adieux (faux adieux, adieux postiches) elle se dit : qui a raté ses adieux ne peut attendre grand-chose de ses retrouvailles.

Voilà déjà deux ou trois heures qu'elle marche dans ces quartiers verts. Elle arrive au parapet qui clôt un petit parc au-dessus de Prague : d'ici, le Château apparaît de l'arrière, du côté secret ; c'est une Prague dont Gustaf ne soupçonne pas l'existence ; et aussitôt accourent vers elle les noms qui, jeune fille, lui étaient chers : Macha, poète du temps où sa nation, ondine, sortait des brumes ; Neruda, conteur du petit peuple tchèque ; les chansons de Voskovec et Werich, des années trente, que son père, mort quand elle était enfant, aimait tant ; Hrabal et Skvorecky, romanciers de son adolescence ; et les petits théâtres et les cabarets des années soixante, si libres, si gaiement libres avec leur humour irrévérencieux ; c'était le parfum incommunicable de ce pays, son essence immatérielle qu'elle avait emportée avec elle en France.

Accoudée au parapet, elle regarde vers le Château : pour y arriver il lui suffirait d'un quart d'heure. C'est là que commence la Prague des cartes postales, la Prague sur laquelle l'Histoire en délire a imprimé ses multiples stigmates, la Prague des touristes et des putains, la Prague des restaurants si chers que ses amis tchèques ne peuvent pas y mettre les pieds, la Prague danseuse se tortillant sous les projecteurs, la Prague de Gustaf. Elle se dit qu'il n'existe pas pour elle de lieu plus étranger que cette Prague-là. Gustaftown. Gustafville. Gustafstadt. Gustafgrad.

Gustaf : elle le voit, les traits estompés derrière la vitre mate d'une langue qu'elle connaît mal, et elle se dit, presque réjouie, que c'est bien ainsi car la vérité s'est enfin révélée : elle n'éprouve aucun besoin de le comprendre ni de se faire comprendre de lui. Elle le voit jovial, vêtu du tee-shirt, criant que Kafka was born in Prague, et elle sent un désir monter dans son corps, l'indomptable désir d'avoir un amant. Non pas pour rapiécer sa vie telle qu'elle est. Mais pour la bouleverser de fond en comble. Pour avoir enfin son propre destin.

Car elle n'a jamais choisi aucun homme. C'est toujours elle qui a été choisie. Martin, elle a fini par l'aimer, mais au début il n'était que l'occasion d'échapper à la mère. Dans son aventure avec Gustaf, elle croyait trouver la liberté. Mais aujourd'hui elle comprend que ce n'était qu'une variante de sa relation avec Martin : elle a saisi une main tendue qui l'a fait sortir de circonstances pénibles qu'elle n'était pas capable d'assumer.

Elle se sait douée pour la gratitude ; elle s'en est toujours prévalue comme de sa première vertu ; quand la gratitude l'ordonnait, un sentiment d'amour accourait comme une servante docile. Elle était sincèrement dévouée à Martin, elle l'était sincèrement à Gustaf. Mais y a-t-il de quoi s'enorgueillir ? La gratitude, n'est-ce pas seulement un autre nom pour la faiblesse, pour la dépendance ? Ce qu'elle désire désormais, c'est l'amour sans gratitude aucune ! Et elle sait qu'un tel amour, il faut le payer par un acte audacieux et risqué. Car, dans sa vie amoureuse, elle n'a jamais été audacieuse, elle ne savait même pas ce que cela voulait dire.

Soudain, c'est comme un coup de vent :

le défilé en accéléré des vieux rêves d'émigration, des vieilles angoisses : elle voit des femmes qui surviennent, l'entourent, et, levant des chopes de bière, riant perfidement, l'empêchent de s'échapper ; elle est dans une boutique où d'autres femmes, des vendeuses, se précipitent sur elle, l'habillent d'une robe qui, sur son corps, se transforme en camisole de force.

Un long moment elle reste accoudée au parapet, puis se redresse. Elle est remplie de la certitude qu'elle s'échappera ; qu'elle ne restera plus dans cette ville ; ni dans cette ville ni dans la vie que cette ville est en train de lui tisser.

Elle marche et se dit qu'aujourd'hui elle réalise enfin sa promenade des adieux que, jadis, elle a manquée ; elle fait enfin ses Grands Adieux à la ville qu'elle aime entre toutes et qu'elle est prête à perdre encore une fois, sans regret, pour mériter sa propre vie.

38

Lorsque le communisme s'en alla d'Europe, la femme de Josef insista pour qu'il aille revoir son pays. Elle voulait l'accompagner. Mais elle mourut et il ne sut penser dès lors qu'à sa nouvelle vie avec l'absente. Il s'efforçait de se persuader que c'était une vie heureuse. Mais peut-on parler de bonheur? Oui; d'un bonheur qui, tel un frêle rayon frémissant, traversait sa douleur, une douleur résignée, calme et ininterrompue. Il y a un mois, incapable de sortir de la tristesse, il s'est souvenu des paroles de sa morte: «Ne pas y aller, ce serait de ta part anormal, injustifiable, ce serait même moche»; en effet, se dit-il, ce voyage auquel elle l'avait tellement incité pourrait, aujourd'hui, lui venir en aide; le détourner, au moins pour quelques jours, de sa propre vie qui lui fait si mal.

Alors qu'il se préparait au voyage, une idée, timidement, lui était passée par la tête: et s'il restait là-bas à jamais? Après tout, il pourrait poursuivre sa pratique vétérinaire aussi bien en Bohême qu'au Danemark. Jusqu'alors, cela lui paraissait inacceptable, presque comme une trahison de celle qu'il aimait. Mais il se demanda : serait-ce vraiment une trahison ? Si la présence de sa femme est immatérielle, pourquoi serait-elle liée à la matérialité d'un seul lieu ? Ne pourrait-elle être avec lui aussi bien en Bohême qu'au Danemark ?

Il a quitté l'hôtel et flâne en voiture ; il déjeune dans une auberge à la campagne ; puis il marche à travers champs ; de petits chemins, des églantiers, des arbres, des arbres ; étrangement ému, il regarde les collines boisées à l'horizon et l'idée lui vient que dans l'espace de sa propre vie, par deux fois les Tchèques ont été prêts à mourir pour que ce paysage reste le leur : en 1938, ils ont voulu se battre contre Hitler ; quand leurs alliés, Français et Anglais, les en ont empêchés, ils ont désespéré. En 1968, les Russes ont envahi le pays et, de nouveau, ils ont voulu se battre ; condamnés à la même capitulation, ils sont tombés, de nouveau, dans le même désespoir.

Être prêt à donner sa vie pour son pays : toutes les nations ont connu cette tentation du sacrifice. Les adversaires des Tchèques, d'ailleurs, la connaissaient aussi : les Allemands, les Russes. Mais ce sont de grands peuples. Leur patriotisme est différent : ils sont exaltés par leur gloire, leur importance, leur mission universelle. Les Tchèques aimaient leur patrie non parce qu'elle était glorieuse mais parce qu'elle était inconnue ; non parce qu'elle était grande mais parce qu'elle était petite et sans cesse en péril. Leur patriotisme, c'était une immense compassion pour leur pays. Les Danois sont pareils. Ce n'est pas un hasard si Josef a choisi pour son émigration un petit pays.

Ému, il regarde le paysage et se dit que l'histoire de sa Bohême pendant ce dernier demi-siècle est fascinante, unique, inédite, et que ne pas s'y intéresser serait de l'étroitesse d'esprit. Demain matin, il verra N. Comment a-t-il vécu tout ce temps pendant lequel ils ne se sont pas vus ? Qu'a-t-il pensé de l'occupation russe du pays? Et comment a-t-il vécu la fin du communisme auquel il croyait jadis, sincèrement, honnêtement? Comment sa formation marxiste s'accommode-t-elle du retour du capitalisme applaudi par toute la planète? Se révolte-t-il? Ou a-t-il abandonné ses convictions? Et s'il les a abandonnées, est-ce pour lui un drame? Et comment les autres se comportent-ils envers lui? Il entend la voix de sa belle-sœur qui aurait certainement voulu, chasseuse de coupables, le voir menottes aux poignets devant un tribunal. N. n'a-t-il pas besoin que Josef lui dise que l'amitié existe en dépit de toutes les contorsions de l'Histoire?

Sa pensée revient à la belle-sœur: elle haïssait les communistes parce qu'ils contestaient le droit sacré à la propriété. Et à moi, se dit-il, elle a contesté le droit sacré à mon tableau. Il imagine ce tableau sur un mur dans sa maison en brique, et soudain, étonné, il se rend compte que cette banlieue ouvrière, ce Derain tchèque, cette bizarrerie de l'Histoire serait, dans son foyer, un perturbateur, un intrus. Comment a-t-il pu vouloir le prendre avec lui! Là où il vit avec sa morte, ce tableau n'a pas sa place. Jamais il ne lui en a parlé. Ce tableau n'a rien à voir avec elle, avec eux, avec leur vie.

Puis, il pense : si un petit tableau peut perturber sa cohabitation avec la morte, combien plus perturbante serait la présence constante, insistante de tout un pays, d'un pays qu'elle n'a jamais vu!

Le soleil descend vers l'horizon, il est en voiture sur la route de Prague; le paysage fuit autour de lui, le paysage de son petit pays pour lequel les gens étaient prêts à mourir, et il sait qu'il existe quelque chose d'encore plus petit, qui appelle encore davantage son amour compatissant : il voit deux fauteuils tournés l'un vers l'autre, la lampe et le pot de fleurs posés sur le rebord de la fenêtre et le sapin svelte que sa femme a planté devant la maison, un sapin tel un bras qu'elle lève afin de lui montrer de loin leur chez-eux.

39

Quand Skacel s'est enfermé pour trois cents ans dans la maison de tristesse, c'était parce qu'il voyait son pays englouti à jamais par l'empire de l'Est. Il se trompait. Sur l'avenir, tout le monde se trompe. L'homme ne peut être sûr que du moment présent. Mais est-ce bien vrai? Peut-il vraiment le connaître, le présent? Est-il capable de le juger? Bien sûr que non. Car comment celui qui ne connaît pas l'avenir pourrait-il comprendre le sens du présent? Si nous ne savons pas vers quel avenir le présent nous mène, comment pourrions-nous dire que ce présent est bon ou mauvais, qu'il mérite notre adhésion, notre méfiance ou notre haine?

En 1921, Arnold Schönberg proclame que, grâce à lui, la musique allemande restera pendant les cent prochaines années maîtresse du monde. Douze ans plus tard, il doit quitter l'Allemagne à jamais. Après la guerre, en Amérique, comblé d'honneurs, il est toujours sûr que la gloire n'abandonnera jamais son œuvre. Il reproche à Igor Stravinski de penser trop à ses contemporains et de négliger le jugement de l'avenir. Il tient la postérité pour son plus sûr allié. Dans une lettre cinglante à Thomas Mann il se réclame de l'époque «après deux ou trois cents ans» où apparaîtra enfin clairement lequel des deux était le plus grand, Mann ou lui! Schönberg est mort en 1951. Pendant les deux décennies suivantes, son œuvre est saluée comme la plus grande du siècle, vénérée par les plus brillants des jeunes compositeurs qui se déclarent ses disciples; mais ensuite elle s'éloigne des salles de concerts ainsi que de la mémoire. Qui le joue maintenant, vers la fin du siècle? Qui se réfère à lui? Non, je ne veux pas me moquer sottement de sa présomption et dire qu'il se surestimait. Mille fois non! Schönberg ne se surestimait pas. Il surestimait l'avenir.

A-t-il commis une erreur de réflexion? Non. Il pensait juste, mais il vivait dans des sphères trop élevées. Il discutait avec les plus grands Allemands, avec Bach, avec Goethe, avec Brahms, avec Mahler, mais, si intelligentes qu'elles soient, les discussions menées dans les hautes sphères de l'esprit sont toujours myopes envers ce qui, sans raison ni logique, se passe en bas : deux grandes armées se battent à mort pour des causes sacrées ; mais c'est une minuscule bactérie de la peste qui les terrassera toutes deux.

Schönberg était conscient de l'existence de la bactérie. Déjà en 1930, il écrivait : « La radio est un ennemi, un ennemi impitoyable qui irrésistiblement avance et contre qui toute résistance est sans espoir » ; elle « nous gave de musique [...] sans se demander si on a envie de l'écouter, si on a la possibilité de la percevoir », de sorte que la musique est devenue un simple bruit, un bruit parmi des bruits.

La radio fut le petit ruisseau par lequel tout commença. Vinrent ensuite d'autres moyens techniques pour recopier, multiplier, augmenter le son, et le ruisseau devint un immense fleuve. Si, jadis, on écoutait la musique par amour de la musique, aujourd'hui elle hurle partout et toujours, « sans se demander si on a envie de l'écouter», elle hurle dans les haut-parleurs, dans les voitures, dans les restaurants, dans les ascenseurs, dans les rues, dans les salles d'attente, dans les salles de gymnastique, dans les oreilles bouchées des walkmen, musique réécrite, réinstrumentée, raccourcie, écartelée, des fragments de rock, de jazz, d'opéra, flot où tout s'entremêle sans qu'on sache qui est le compositeur (la musique devenue bruit est anonyme), sans qu'on distingue le début ou la fin (la musique devenue bruit ne connaît pas de forme) : l'eau sale de la musique où la musique se meurt.

Schönberg connaissait la bactérie, il était conscient du danger, mais au fond de lui-même il ne lui accordait pas trop d'importance. Comme je l'ai dit, il vivait dans les très hautes sphères de l'esprit, et l'orgueil l'empêchait de prendre au sérieux un ennemi si petit, si vulgaire, si répugnant, si méprisable. Le seul grand adversaire digne de lui, le rival sublime, qu'il combattait avec brio et sévérité, était Igor Stravinski. C'est contre sa musique qu'il ferraillait pour gagner la faveur de l'avenir.

Mais l'avenir, ce fut le fleuve, le déluge des notes où les cadavres des compositeurs flottèrent parmi les feuilles mortes et les branches arrachées. Un jour, le corps mort de Schönberg, ballotté par les vagues démontées, heurta celui de Stravinski et tous les deux, dans une réconciliation tardive et coupable, continuèrent leur voyage vers le néant (vers le néant de la musique qu'est le vacarme absolu).

40

Souvenons-nous : quand Irena s'était arrêtée avec son mari sur la berge de la rivière qui traversait une ville française de province, elle avait vu sur l'autre rive des arbres abattus et à ce moment-là un coup inattendu de musique lâchée d'un haut-parleur l'avait frappée. Elle avait pressé les mains sur ses oreilles et éclaté en pleurs. Quelques mois plus tard, elle était à la maison avec son mari agonisant. Depuis l'appartement contigu une musique tonna. Par deux fois elle sonna à la porte, pria les voisins d'éteindre l'appareil, deux fois en vain. À la fin, elle hurla : «Arrêtez cette horreur! Mon mari est en train de mourir! Vous entendez! En train de mourir! Mourir!»

Pendant ses premières années en France, elle écoutait beaucoup la radio qui la familiarisait avec la langue et la vie françaises, mais après la mort de Martin, à cause de la musique qu'elle avait désaimée, elle n'y trouva plus de plaisir; car les nouvelles ne se suivaient plus, comme autrefois, de façon continue, mais chaque information était séparée de l'autre par trois, huit, quinze secondes de musique, et ces petits interludes, d'une année à l'autre, augmentaient insidieusement. Elle faisait ainsi intimement connaissance avec ce que Schönberg appelait «la musique devenue bruit».

Elle est allongée sur le lit à côté de Gustaf; surexcitée à l'idée de son rendez-vous, elle craint pour son sommeil; elle a déjà avalé un somnifère, elle s'est assoupie et, s'étant réveillée au milieu de la nuit, elle en a pris encore deux autres, puis, par désespoir, par nervosité, elle a allumé à côté de son oreiller un petit poste de radio. Pour retrouver le sommeil elle veut entendre une voix humaine, une parole qui s'emparerait de sa pensée, l'emporterait ailleurs, la calmerait et l'endormirait; elle passe d'une station à une autre, mais de partout ne coule que la musique, l'eau sale de la musique, des fragments de rock, de jazz, d'opéra, et c'est un monde où elle ne peut s'adresser à personne parce que tous chantent et hurlent, c'est un monde où personne ne s'adresse à elle parce que tous gambadent et dansent.

D'un côté l'eau sale de la musique, de l'autre un ronflement, et Irena, assiégée, a envie d'un espace libre autour d'elle, d'un espace pour respirer, mais elle se heurte au corps, pâle et inerte, que le destin a fait tomber sur son chemin comme un sac de boue. Une nouvelle vague de haine envers Gustaf la saisit, non pas parce que son corps néglige le sien (ah non! elle ne pourra plus jamais faire l'amour avec lui!) mais parce que son ronflement l'empêche de dormir et qu'elle risque de gâcher la rencontre de sa vie, la rencontre qui aura lieu bientôt, dans quelque huit heures, car le matin approche, le sommeil n'arrive pas et elle sait qu'elle sera fatiguée, nerveuse, le visage enlaidi, vieilli.

Enfin, l'intensité de la haine agit comme un narcotique et elle s'endort. Quand elle se réveille, il est déjà sorti tandis que le petit poste de radio, à côté de son oreiller, émet toujours la musique devenue bruit. Elle a mal à la tête et se sent épuisée. Elle resterait volontiers au lit, mais Milada a annoncé qu'elle viendrait à dix heures. Mais pourquoi aujourd'hui! Irena n'a pas la moindre envie d'être avec qui que ce soit!

41

Le pavillon, construit sur une pente, ne montrait à la rue qu'un rez-de-chaussée. Quand la porte s'ouvrit, Josef fut assailli par les attaques amoureuses d'un grand berger allemand. Ce n'est qu'après un long moment qu'il put apercevoir N. qui, en riant, calma le chien et mena Josef par un couloir, puis par un long escalier, vers un appartement de deux pièces au niveau du jardin où il habitait avec sa femme ; elle était là, amicale, et elle lui tendit la main.

« Là-haut, dit N. en montrant le plafond, les appartements sont beaucoup plus spacieux. C'est là que vivent ma fille et mon fils avec leurs familles. La villa appartient à mon fils. Il est avocat. Dommage qu'il ne soit pas à la maison. Écoute », dit-il en baissant la voix, « si tu veux te réinstaller au pays, il t'aidera, il te facilitera tout. »

Ces mots rappelèrent à Josef le jour où N., une quarantaine d'années auparavant, de cette même voix baissée en signe de confidence, lui avait offert son amitié et son aide.

« Je leur ai parlé de toi... », dit N., et il lança plusieurs prénoms vers l'étage ; commencèrent à descendre les petits et arrière-petits-enfants, tous beaux, élégants (Josef ne pouvait détacher son regard d'une blonde, la petite amie d'un des petits-fils, une Allemande qui ne comprenait pas un seul mot de tchèque) et tous, même les filles, paraissaient plus grands que N.; (en leur présence, il ressemblait à un lapin perdu dans une herbe folle qui, à vue d'œil, pousse autour de lui et le surplombe). Comme des mannequins pendant un défilé, ils sourirent sans rien dire jusqu'au moment où N. les pria de le laisser seul avec son ami. Sa femme resta dans la maison et ils sortirent tous les deux dans le jardin.

Le chien les suivit et N. remarqua : «Je ne l'ai jamais vu si excité par un visiteur. On dirait qu'il a reconnu ta profession.» Puis il raconta en détail comment il avait lui-même dessiné son jardin avec des pelouses séparées par des petits chemins et montra à son ami tous les arbres fruitiers; pour aborder les sujets dont il voulait parler, Josef dut interrompre le long exposé botanique :

«Dis-moi, comment as-tu vécu ces vingt années ?

— N'en parlons pas», dit N., et en réponse il posa son index sur son cœur. Josef ne comprenait pas le sens de ce geste : les événements politiques l'avaient-ils atteint si profondément, «jusqu'à son cœur»? ou avait-il vécu un drame d'amour? ou avait-il été frappé d'un infarctus?

«Un jour je te raconterai», ajouta-t-il, écartant toute discussion.

La conversation n'était pas facile; chaque fois que Josef s'arrêtait pour mieux formuler une question, le chien se sentait autorisé à sauter sur lui et à lui poser les pattes sur le ventre.

«Je me rappelle ce que tu as toujours affirmé, dit N. On devient médecin parce qu'on s'intéresse aux maladies. On devient vétérinaire par amour des bêtes.

— J'ai vraiment dit cela?» s'étonna Josef. Il se souvint qu'avant-hier il avait expliqué à sa belle-sœur qu'il avait choisi sa profession pour se révolter contre sa famille. Avait-il donc agi par amour et non pas par révolte? Dans un seul nuage indistinct il vit défiler devant lui tous les animaux malades qu'il avait connus; puis il vit son cabinet de vétérinaire dans la partie arrière de sa maison en brique où demain (mais oui, juste dans vingt-quatre heures!) il ouvrirait la porte pour accueillir le premier patient du jour ; son visage se couvrit d'un long sourire.

Il dut se forcer pour revenir à la conversation à peine entamée : il demanda à N. si on l'avait attaqué en raison de son passé politique ; N. répondit que non ; les gens, selon lui, savaient qu'il avait toujours aidé ceux que le régime brimait. « Je n'en doute pas », dit Josef (il n'en doutait vraiment pas) mais il insista : comment N. jugeait-il lui-même toute sa vie passée ? comme une erreur ? comme une défaite ? N. hocha la tête, disant que ce n'était ni l'un ni l'autre. Enfin, il lui demanda ce qu'il pensait de la restauration si rapide, si brutale, du capitalisme. Haussant les épaules, N. répondit qu'étant donné la situation il n'y avait pas d'autre solution.

Non, la conversation ne réussit pas à s'établir. Josef pensa d'abord que N. trouvait ses questions indiscrètes. Puis il se corrigea : plutôt qu'indiscrètes, elles étaient dépassées. Si le rêve vindicatif de la belle-sœur se réalisait et que N., accusé, fût convoqué devant un tribunal, en ce cas, peut-être retournerait-il dans son passé communiste pour l'expliquer et le défendre. Mais sans cette convocation, ce passé, aujourd'hui, était loin de lui. Il ne l'habitait plus.

Josef se souvint de sa très vieille idée, qu'il avait tenue alors pour blasphématoire : l'adhésion au communisme n'a rien à voir avec Marx et avec ses théories ; l'époque a seulement offert aux gens l'occasion de pouvoir combler leurs besoins psychologiques les plus divers : le besoin de se montrer non-conformiste ; ou le besoin d'obéir ; ou le besoin de punir les méchants ; ou le besoin d'être utile ; ou le besoin d'avancer vers l'avenir avec les jeunes ; ou le besoin d'avoir autour de soi une grande famille.

De bonne humeur, le chien aboyait et Josef se dit : les gens quittent aujourd'hui le communisme non pas parce que leur pensée a changé, subi un choc, mais parce que le communisme ne procure plus l'occasion ni de se montrer non-conformiste, ni d'obéir, ni de punir les méchants, ni d'être utile, ni d'avancer avec les jeunes, ni d'avoir autour de soi une grande famille. La conviction communiste ne répond plus à aucun besoin. Elle est devenue à tel point inutilisable que tous l'abandonnent facilement, sans même s'en apercevoir.

N'empêche que l'intention première de sa visite restait en lui inassouvie : faire savoir à N. que, devant un tribunal imaginaire, lui, Josef, le défendrait. Pour y parvenir il voulait d'abord lui montrer qu'il n'était pas aveuglément enthousiasmé par le monde qui s'installait ici après le communisme et il évoqua la grande image publicitaire sur la place de sa ville natale où un sigle incompréhensible offre aux Tchèques des services en leur montrant une main blanche et une main noire qui se serrent : « Dis-moi, est-ce que c'est encore notre pays ? »

Il s'attendait à entendre un sarcasme à l'adresse du capitalisme mondial qui uniformise la planète, mais N. se taisait. Josef continua : « L'empire soviétique s'est écroulé parce qu'il ne pouvait plus dompter les nations qui voulaient être souveraines. Mais ces nations, elles sont maintenant moins souveraines que jamais. Elles ne peuvent choisir ni leur économie, ni leur politique étrangère, ni même les slogans de leur publicité.

— La souveraineté nationale est depuis longtemps une illusion, dit N.

— Mais si un pays n'est pas indépendant et ne souhaite même pas l'être, est-ce que quelqu'un sera encore prêt à mourir pour lui?

— Je ne veux pas que mes enfants soient prêts à mourir.

— Je le dirai autrement: est-ce que quelqu'un aime encore ce pays?»

N. ralentit le pas: «Josef», dit-il, touché. «Comment as-tu pu émigrer? Tu es un patriote!» Puis, très sérieusement: «Mourir pour son pays, cela n'existe plus. Peut-être que pour toi, pendant ton émigration, le temps s'est arrêté. Mais eux, ils ne pensent plus comme toi.

— Qui?»

N. fit un geste de la tête vers les étages de la maison, comme s'il voulait désigner sa progéniture. «Ils sont ailleurs.»

42

Durant les dernières phrases, les deux amis étaient restés sur place; le chien en profita : il se dressa et posa ses pattes sur Josef qui le caressa. N. contempla ce couple homme et chien, longuement, de plus en plus attendri. Comme si ce n'était que maintenant qu'il se rendait pleinement compte de ces vingt années pendant lesquelles ils ne s'étaient pas vus : «Ah, que je suis heureux que tu sois venu!» Il lui tapota l'épaule et l'invita à s'asseoir sous un pommier. Et d'emblée, Josef le sut : la conversation grave, importante, à laquelle il s'était préparé, n'aurait pas lieu. Et à sa surprise, ce fut un soulagement, ce fut une délivrance! Après tout, il n'était pas venu pour soumettre son ami à un interrogatoire!

Comme si un verrou avait sauté, leur conversation démarra, librement, agréablement, une causerie entre deux vieux copains : souvenirs épars, nouvelles d'amis communs, commentaires marrants, paradoxes, blagues. C'était comme si un vent doux, chaud, puissant, l'avait pris dans ses bras. Josef ressentit une irrépressible joie de parler. Ah, une joie si inattendue ! Pendant vingt ans il n'avait presque plus parlé tchèque. La conversation avec sa femme était facile, le danois s'étant transformé en leur sabir intime. Mais avec les autres, il était toujours conscient de choisir des mots, de construire une phrase, de surveiller son accent. Il lui semblait qu'en parlant les Danois couraient lestement, tandis que lui trottait derrière, chargé d'un poids de vingt kilos. Maintenant, les mots sortaient tout seuls de sa bouche, sans qu'il ait besoin de les chercher, de les contrôler. Le tchèque n'était plus cette langue inconnue au timbre nasal qui l'avait étonné à l'hôtel de sa ville natale. Il la reconnaissait enfin, il la savourait. Avec elle, il se sentait léger comme après une cure d'amaigrissement. Il parlait comme s'il volait et, pour la première fois de son séjour, il était heureux dans son pays et sentait que c'était le sien.

Aiguillonné par le bonheur dont rayonnait son ami, N. était de plus en plus décontracté ; avec un sourire complice, il évoqua sa maîtresse secrète d'autrefois et remercia Josef de lui avoir une fois servi d'alibi auprès de sa femme. Josef ne se rappelait pas et était sûr que N. le confondait avec un autre. Mais l'histoire de l'alibi, que N. lui raconta longuement, était si jolie, si drôle que Josef finit par concéder y avoir joué le rôle du protagoniste. Il avait la tête inclinée en arrière et le soleil, à travers le feuillage, éclairait un sourire béat sur son visage.

C'est dans cet état de bien-être que la femme de N. les surprit : « Tu déjeuneras avec nous ? » dit-elle à Josef.

Il regarda sa montre et se leva. « Dans une demi-heure j'ai un rendez-vous !

— Alors, viens ce soir ! On va dîner ensemble, le pria N. chaleureusement.

— Ce soir je serai déjà chez moi.

— Quand tu dis chez moi, tu veux dire…

— Au Danemark.

— C'est si étrange de t'entendre dire cela. Ton chez-toi, donc, ce n'est plus ici ? demanda la femme de N.

— Non. C'est là-bas.»

Il y eut un long moment de silence et Josef s'attendit à des questions : si le Danemark est vraiment ton chez-toi, comment est-ce que tu vis là-bas? Et avec qui? Raconte! Comment est ta maison? Qui est ta femme? Es-tu heureux? Raconte! Raconte!

Mais ni N. ni sa femme ne prononcèrent aucune de ces questions. Pendant une seconde, une clôture basse en bois et un sapin apparurent devant Josef.

«Il faut que je m'en aille», dit-il, et ils se dirigèrent tous vers l'escalier. En montant, ils se taisaient et, dans ce silence, Josef fut soudain frappé par l'absence de sa femme; il n'y avait pas ici une seule trace de son être. Pendant les trois jours passés dans ce pays, personne n'avait dit un seul mot à son sujet. Il comprit : s'il restait ici, il la perdrait. S'il restait ici, elle disparaîtrait.

Ils s'arrêtèrent sur le trottoir, se serrèrent encore une fois la main et le chien appuya ses pattes sur le ventre de Josef.

Puis tous les trois le regardèrent s'éloigner jusqu'à ce qu'il disparaisse de leur vue.

43

Quand, après tant d'années, elle l'a revue au salon du restaurant parmi d'autres femmes, Milada a été prise d'une tendresse pour Irena ; un détail l'a particulièrement captivée : Irena lui a alors récité un quatrain de Jan Skacel. Dans la petite Bohême, il est facile de rencontrer et d'approcher un poète. Milada avait connu Skacel, un homme trapu au visage dur, comme taillé dans la pierre, et elle l'avait adoré avec la naïveté d'une très jeune fille d'un autre temps. Toute sa poésie vient d'être éditée en un seul tome et Milada l'apporte comme cadeau à son amie.

Irena feuillette le livre : «Est-ce qu'aujourd'hui on lit encore de la poésie ?

— Plus guère», dit Milada, et puis, par cœur, elle lui cite quelques vers : «*À midi, quelquefois, on voit la nuit s'en aller vers la rivière…* Ou bien, écoute : *des étangs, l'eau renversée sur le dos.* Ou bien, il y a des soirs, dit Skacel, où l'air est si doux et fragile qu'*on peut marcher pieds nus sur des tessons.* »

En l'écoutant, Irena se souvient des apparitions subites qui surgissaient inopinément dans sa tête pendant les premières années de son émigration. C'étaient des fragments de ce même paysage.

« Ou bien cette image : … *sur un cheval la mort et un paon.* »

Milada a prononcé ces mots d'une voix qui, légèrement, tremblait : ils lui évoquaient toujours cette vision : un cheval va à travers champs ; sur son dos un squelette avec une faux à la main et, derrière, sur sa croupe, un paon à la queue déployée, splendide et chatoyante comme l'éternelle vanité.

Avec reconnaissance, Irena regarde Milada, la seule amie qu'elle a trouvée dans ce pays, elle regarde son joli visage rond que ses cheveux arrondissent encore ; puisqu'elle se tait, pensive, ses rides ont disparu dans l'immobilité de la peau et elle a l'air d'une jeune femme ; Irena souhaite qu'elle ne parle pas, ne récite pas de vers, qu'elle reste longtemps immobile et belle.

« Tu t'es toujours coiffée comme ça, n'est-ce pas ? Je ne t'ai jamais vue avec une autre coiffure. »

Comme si elle voulait esquiver ce sujet, Milada dit : « Alors, est-ce que tu finiras par te décider un jour ?

— Tu sais bien que Gustaf a ses bureaux et à Prague et à Paris !

— Mais si j'ai bien compris, c'est à Prague qu'il veut s'installer à demeure.

— Écoute, la navette entre Paris et Prague, cela me convient. J'ai mon travail ici et là-bas, Gustaf est mon seul chef, nous nous arrangeons, nous improvisons.

— Qu'est-ce qui te retient à Paris ? Tes filles ?

— Non. Je ne veux pas coller à leur vie.

— Tu y as quelqu'un ?

— Personne. » Puis : « Mon appartement à moi. » Puis : « Mon indépendance. » Et encore, lentement : « Depuis toujours, j'ai eu l'impression que ma vie était régie par d'autres. Excepté quelques années après la mort de Martin. C'étaient les années les plus dures, j'étais seule avec mes enfants, je devais me débrouiller. C'était la misère. Tu ne me croiras pas, mais aujourd'hui, dans mon souvenir, ce sont mes années les plus heureuses.»

Elle est elle-même choquée d'avoir qualifié de plus heureuses les années qui ont suivi la mort de son mari et se ravise : «Je voulais dire que cela a été la seule fois où j'ai été maîtresse de ma vie.»

Elle s'est tue. Milada n'interrompt pas le silence et Irena continue : «Je me suis mariée très jeune, uniquement pour échapper à ma mère. Mais à cause de cela justement, c'était une décision forcée et pas vraiment libre. Et le comble : pour échapper à ma mère je me suis mariée avec un homme qui était son vieil ami. Car je ne connaissais que les gens de son entourage. Aussi, même mariée, je suis restée sous sa surveillance.

— Quel âge avais-tu?

— À peine vingt ans. Et, dès lors, tout était décidé une fois pour toutes. C'est à ce moment-là que j'ai commis une faute, une faute difficile à définir, insaisissable, mais qui a été le point de départ de toute ma vie et que je n'ai jamais réussi à réparer.

— Une faute irréparable commise à l'âge de l'ignorance.

— Oui.

— C'est à cet âge-là qu'on se marie, qu'on a son premier enfant, qu'on choisit sa profession. Et puis un jour on sait et on comprend beaucoup de choses, mais il est trop tard, car toute la vie aura été décidée à une époque où on ne savait rien.

— Oui, oui, même mon émigration! Elle aussi n'a été que la conséquence de mes décisions précédentes. J'ai émigré parce que la police secrète ne laissait pas Martin en paix. Lui, il ne pouvait plus vivre ici. Mais moi, si. J'ai été solidaire de mon mari et je ne le regrette pas. N'empêche que mon émigration n'a pas été mon affaire, ma décision, ma liberté, mon destin. Ma mère m'a poussée vers Martin, Martin m'a emmenée à l'étranger.

— Oui, je me rappelle. Cela a été décidé sans toi.

— Même ma mère ne s'y est pas opposée.

— Au contraire, cela l'a arrangée.

— Qu'est-ce que tu veux dire? La villa?

— Tout est question de propriété.

— Tu redeviens marxiste, dit Irena avec un petit sourire.

— Tu as vu comment la bourgeoisie, après quarante ans de communisme, s'est retrouvée en quelques jours? Ils ont survécu de mille manières, quelques-uns emprisonnés, d'autres chassés de leurs postes, d'autres qui se sont même très bien débrouillés ont eu de brillantes carrières, ambassadeurs, professeurs. Maintenant, leurs fils et leurs petits-fils sont de nouveau ensemble, une sorte de fraternité secrète, ils occupent les banques, les journaux, le parlement, le gouvernement.

— Mais vraiment, tu es toujours restée communiste.

— Ce mot ne veut plus rien dire. Mais il est vrai que je suis toujours restée une fille de famille pauvre. »

Elle se tait et dans sa tête des images

passent : une jeune fille de famille pauvre amoureuse d'un garçon de famille riche ; une jeune femme qui veut trouver dans le communisme le sens de sa vie ; après 1968, une femme mûre qui épouse la dissidence et du coup connaît un monde beaucoup plus large qu'avant : non seulement des communistes révoltés contre le parti, mais aussi des prêtres, d'anciens prisonniers politiques, de grands bourgeois déclassés. Et puis, après 1989, comme sortie d'un rêve, elle redevient ce qu'elle était : une jeune fille vieillie de famille pauvre.

« Excuse-moi, tu me l'as déjà dit mais je ne suis pas sûre : tu es née où ? » demanda Irena.

Elle dit le nom d'une petite ville.

« Je déjeune aujourd'hui avec quelqu'un de là-bas.

— Comment s'appelle-t-il ? »

En entendant son nom, Milada sourit : « Je vois qu'une fois encore il me porte la guigne. Je voulais t'inviter à déjeuner, moi. Dommage. »

44

Il est arrivé à l'heure mais elle l'attendait
déjà dans le hall de l'hôtel. Il l'a conduite
dans la salle à manger et l'a fait asseoir en
face de lui à la table qu'il avait réservée.

Après quelques phrases, elle l'interrompt : «Alors, comment te plais-tu ici?
Tu voudrais rester?

— Non», dit-il ; puis il demande à son
tour : «Et toi? Qu'est-ce qui te retient ici,
toi?

— Rien.»
La réponse est si tranchante et ressemble tellement à la sienne qu'ils éclat-
tent de rire tous les deux. Leur entente est
ainsi scellée et ils se mettent à parler, avec
entrain, avec allégresse.

Il commande le repas et quand le garçon lui présente la carte des vins, Irena
s'en empare : «Le repas à toi, le vin à
moi!» Elle voit sur la carte quelques vins
français et en choisit un : «Le vin, c'est
une question d'honneur pour moi. Ils ne
s'y connaissent pas en vin, nos compa-

triotes, et toi, abruti par ta Scandinavie barbare, tu t'y connais encore moins. »

Elle lui raconte comment ses amies ont refusé de boire le bordeaux qu'elle leur a apporté : « Imagine, millésime 1982 ! Et elles, exprès, pour me donner une leçon de patriotisme, elles ont bu de la bière ! Ensuite, elles ont eu pitié de moi et, déjà saoules de bière, elles ont continué avec le vin ! »

— Elle raconte, elle est drôle, ils rient.

« Le pire, c'est qu'elles me parlaient de choses et de gens dont je ne savais rien. Elles ne voulaient pas comprendre que leur monde, après tout ce temps, s'est évaporé de ma tête. Elles pensaient que, avec mes oublis, je voulais me rendre intéressante. Me démarquer. C'était une conversation bizarre : moi j'avais oublié qui elles avaient été ; et elles ne s'intéressaient pas à ce que je suis devenue. Tu te rends compte que personne ici ne m'a jamais posé une seule question sur ma vie là-bas ? Pas une seule question ! Jamais ! J'ai toujours l'impression qu'on veut m'amputer ici de vingt ans de ma vie. Vraiment, j'ai le sentiment d'une amputation. Je me sens comme raccourcie, diminuée, comme une naine.»

Elle lui plaît et ce qu'elle raconte lui plaît aussi. Il la comprend, il est d'accord avec tout ce qu'elle dit.

«Et en France, tes amis te posent des questions?»

Elle est sur le point de dire oui mais, ensuite, elle se ravise; elle veut être exacte et parle lentement: «Bien sûr que non! Mais quand les gens se voient souvent, ils supposent qu'ils se connaissent. Ils ne se posent pas de questions et n'en sont pas frustrés. S'ils ne s'intéressent pas les uns aux autres, c'est en toute innocence. Ils ne s'en rendent pas compte.

— C'est vrai. Ce n'est qu'en revenant au pays après une longue absence qu'on est frappé par cette évidence: les gens ne s'intéressent pas les uns aux autres et c'est normal.

— Oui, c'est normal.

— Mais je pensais à autre chose. Non pas à toi, à ta vie, à ta personne. Je pensais à ton expérience. À ce que tu avais vu, à ce que tu avais connu. De cela, tes amis français ne pouvaient avoir aucune idée.

— Les Français, tu sais, ils n'ont pas besoin d'expérience. Les jugements, chez eux, précèdent l'expérience. Quand nous sommes arrivés là-bas, ils n'avaient pas besoin d'informations. Ils étaient déjà bien informés que le stalinisme est un mal et que l'émigration est une tragédie. Ils ne s'intéressaient pas à ce que nous pensions, ils s'intéressaient à nous en tant que preuves vivantes de ce qu'ils pensaient, eux. C'est pourquoi ils étaient généreux envers nous et fiers de l'être. Quand, un jour, le communisme s'est écroulé, ils m'ont regardée, fixement, d'un regard examinateur. Et alors, quelque chose s'est gâté. Je ne me suis pas comportée comme ils s'y attendaient. »

Elle boit du vin ; puis : « Ils avaient fait vraiment beaucoup pour moi. Ils ont vu en moi la souffrance d'une émigrée. Puis le moment est venu où je devais confirmer cette souffrance par la joie de mon retour. Et cette confirmation n'a pas eu lieu. Ils se sont sentis trompés. Et moi aussi car, entre-temps, j'avais pensé qu'ils m'ai-maient non pas pour ma souffrance mais pour moi-même.»

Elle lui parle de Sylvie. «Elle était déçue que je ne sois pas accourue dès le premier jour à Prague sur les barricades!

— Les barricades?

— Bien sûr qu'il n'y en avait pas, mais Sylvie les imaginait. Je n'ai pu venir à Prague que plusieurs mois plus tard, après coup, et j'y suis restée alors un certain temps. Quand je suis retournée à Paris, j'ai senti un besoin fou de parler avec elle, tu sais, je l'aimais vraiment et j'aurais voulu tout lui raconter, discuter de tout, du choc de rentrer au pays après vingt ans, mais elle n'avait plus grande envie de me voir.

— Vous vous êtes brouillées?

— Mais non. Tout simplement, je n'étais plus une émigrée. Je n'étais plus inté-ressante. Donc, peu à peu, gentiment, avec le sourire, elle a cessé de me rechercher.

— Avec qui peux-tu donc parler? Avec qui t'entends-tu?

— Avec personne.» Puis: «Avec toi.»

45

Ils se sont tus. Et elle a répété sur un ton presque grave : «Avec toi.» Elle a ajouté encore : «Pas ici. En France. Ou plutôt ailleurs. N'importe où.»

Par ces mots, elle lui a offert son avenir. Et bien que Josef ne s'intéresse pas à l'avenir, il se sent heureux avec cette femme qui, si visiblement, le désire. Comme s'il se retrouvait loin en arrière, dans les années où il allait draguer à Prague. Comme si ces années l'invitaient maintenant à reprendre le fil là où il l'a rompu. Il se sent rajeuni en compagnie de cette inconnue et, soudain, l'idée lui paraît inacceptable d'écourter cet après-midi à cause d'un rendez-vous avec sa belle-fille.

«Tu m'excuses? Il faut que j'appelle quelqu'un.» Il se lève et va vers une cabine.

Elle le regarde, légèrement voûté, qui décroche le combiné; avec ce recul, elle apprécie plus nettement son âge. Quand elle l'a vu à l'aéroport, il lui semblait plus jeune; maintenant elle constate qu'il doit avoir quinze, vingt ans de plus qu'elle ; comme Martin, comme Gustaf. Elle n'en est pas déçue, au contraire, cela lui donne la réconfortante impression que cette aventure, si audacieuse et si risquée qu'elle soit, appartient à l'ordre de sa vie et est moins folle qu'il n'y paraît (je signale : elle se sent encouragée comme Gustaf, autrefois, quand il a appris l'âge de Martin).

À peine s'est-il présenté que la belle-fille l'attaque : «Tu m'appelles pour me dire que tu ne viendras pas.

— Tu as compris. Après ces longues années, j'ai tant de choses à faire. Je n'ai pas une seule minute de libre. Excuse-moi.

— Tu pars quand ?»

Il est sur le point de dire «ce soir» mais l'idée lui vient qu'elle pourrait chercher à le voir à l'aéroport. Il ment : «Demain matin.

— Et tu n'as pas le temps de me voir ? Même entre deux rendez-vous ? Même tard ce soir ? Je me libère quand tu veux !

— Non.

— Je suis quand même la fille de ta femme !»

L'emphase avec laquelle elle a presque crié la dernière phrase lui rappelle tout ce qui, jadis, dans ce pays, l'horripilait. Il se braque et cherche une réponse mordante.

Elle est plus rapide que lui : « Tu te tais ! Tu ne sais pas quoi dire ! Eh bien, je vais te dire, moi, maman m'a déconseillé de t'appeler. Elle m'a expliqué quel égoïste tu es ! Quel pauvre sale petit égoïste. »

Elle a raccroché.

Il se dirige vers la table et se sent comme éclaboussé de saletés. Soudain, illogiquement, une phrase lui traverse l'esprit : « J'ai eu beaucoup de femmes dans ce pays mais aucune sœur. » Il est surpris par cette phrase et par le mot : sœur ; il ralentit le pas pour aspirer ce mot si paisible : une sœur. En effet, dans ce pays, il n'a jamais trouvé aucune sœur.

« Quelque chose de désagréable ?

— Rien de grave, répond-il en s'asseyant. Mais désagréable, oui. »

Il se tait.

Elle aussi. Les somnifères de la nuit sans sommeil se rappellent à elle par la fatigue.

Voulant la chasser, elle verse le reste de vin dans son verre et le boit. Puis elle pose sa main sur celle de Josef : «Nous ne sommes pas bien ici. Je t'invite à boire quelque chose.»

Ils se dirigent vers le bar d'où une musique s'échappe, forte.

Elle recule, puis se domine : elle a envie d'alcool. Au comptoir, ils boivent chacun un verre de cognac.

Il la regarde : «Qu'est-ce qu'il y a?»

Elle fait un geste de la tête.

«La musique? Allons chez moi.»

46

Apprendre la présence de Josef à Prague de la bouche d'Irena, c'était pour Milada une coïncidence assez singulière. Mais à un certain âge, les coïncidences perdent de leur magie, ne surprennent plus, deviennent banales. Le souvenir de Josef ne provoque pas de trouble en elle. Avec un humour amer, elle se rappelle seulement qu'il aimait lui faire peur avec la solitude et que, en effet, il vient de la condamner à prendre seule son repas de midi.

Ses propos sur la solitude. Peut-être ce mot reste-t-il dans sa mémoire parce qu'il lui paraissait alors si incompréhensible : jeune fille, ayant deux frères et deux sœurs, elle abominait la multitude ; pour travailler, pour lire, elle n'avait pas de chambre à elle et trouvait difficilement un simple coin pour s'isoler. Manifestement, leurs soucis n'étaient pas les mêmes, mais elle comprenait que dans la bouche du jeune Josef le mot solitude acquérait un sens plus abstrait et plus noble : traverser la vie sans intéresser personne ; parler sans être écouté ; souffrir sans inspirer de compassion ; donc, vivre comme elle a ensuite vraiment vécu.

Dans un quartier loin de sa maison, elle a garé sa voiture et se met à chercher un bistro. Quand elle n'a personne avec qui déjeuner, elle ne va jamais au restaurant (où, en face d'elle, sur une chaise vide, la solitude s'assoirait et l'observerait), mais préfère, appuyée au comptoir, manger un sandwich. Alors qu'elle passe devant une vitrine, son regard tombe sur son propre reflet. Elle s'arrête. Se regarder, c'est son vice, le seul peut-être. Feignant d'observer l'étalage, elle s'observe elle-même : les cheveux bruns, les yeux bleus, la forme ronde du visage. Elle se sait belle, elle le sait depuis toujours et c'est son seul bonheur.

Puis elle se rend compte que ce qu'elle voit n'est pas seulement son visage vaguement reflété, mais la vitrine d'une boucherie : une carcasse suspendue, des cuisses coupées, une tête de porc avec un museau touchant et amical, puis, plus loin dans la boutique, les corps déplumés des volailles, leurs pattes levées, impuissamment, humainement levées, et, soudain, l'horreur la transperce, son visage se crispe, elle imagine une hache, une hache de boucher, une hache de chirurgien, elle serre les poings et s'efforce de chasser le cauchemar.

Aujourd'hui, Irena lui a posé la question qu'elle entend de temps en temps : pourquoi n'a-t-elle jamais changé de coiffure. Non, Milada n'en a pas changé et n'en changera pas car elle est belle seulement si elle garde ses cheveux tels qu'ils sont arrangés autour de sa tête. Connaissant l'indiscrétion bavarde des coiffeurs, elle a choisi le sien dans une banlieue où aucune de ses amies ne viendrait s'égarer. Elle devait protéger le secret de son oreille gauche au prix d'une immense discipline et de tout un système de précautions. Comment concilier le désir des hommes et le désir d'être belle à leurs yeux? D'abord, elle avait cherché un compromis (voyages désespérés à l'étranger où personne ne la connaissait et où aucune indiscrétion ne pouvait la trahir), puis, plus tard, elle était devenue radicale et avait sacrifié sa vie érotique à sa beauté.

Debout devant un comptoir, elle boit lentement de la bière et mange un sandwich au fromage. Elle ne se presse pas; elle n'a rien à faire. Comme tous les dimanches: l'après-midi elle lira et, le soir, elle prendra chez elle un repas solitaire.

47

Irena a constaté que la fatigue ne cessait de la poursuivre. Seule dans la chambre pendant quelques moments, elle a ouvert le minibar et pris trois petits flacons de divers alcools. Elle en a débouché un et l'a bu. Elle a glissé les deux autres dans son sac qu'elle a posé sur la table de nuit. Elle y a aperçu un livre en danois : *L'Odyssée*.

«Moi aussi, j'ai pensé à Ulysse, dit-elle à Josef qui revient.

— Il a été absent du pays comme toi. Pendant vingt ans, dit Josef.

— Vingt ans?

— Oui, vingt ans, exactement.

— Lui au moins était heureux de revenir.

— Ce n'est pas sûr. Il a vu que ses compatriotes l'avaient trahi et il en a tué beaucoup. Je ne crois pas qu'il ait pu être aimé.

— Pourtant, Pénélope l'aimait.

— Peut-être.

— Tu n'en es pas sûr?

— J'ai lu et relu le passage de leurs retrouvailles. D'abord, elle ne le reconnaît pas. Ensuite, quand tout est déjà clair pour tout le monde, que les prétendants sont tués, les traîtres punis, elle lui fait toujours subir de nouvelles épreuves pour être sûre que c'est vraiment lui. Ou plutôt pour retarder le moment où ils se retrouveront au lit.

— Ce qui peut se comprendre, non? On doit être paralysé après vingt ans. Est-ce qu'elle lui a été fidèle pendant tout ce temps?

— Elle ne pouvait pas ne pas l'être. Surveillée par tous. Vingt ans de chasteté. Leur nuit d'amour a dû être difficile. J'imagine que pendant ces vingt ans, le sexe de Pénélope s'était resserré, rétréci.

— Elle était comme moi.

— Comment!

— Non, n'aie pas peur! s'écrie-t-elle en riant. Je ne parle pas de mon sexe! Il ne s'est pas rétréci!»

Et, soudain grisée par la mention expresse de son sexe, d'une voix plus basse, elle lui répète lentement la dernière phrase traduite en gros mots. Et puis, encore une fois, d'une voix encore plus basse, en mots encore plus obscènes.

Cela a été inattendu! Cela a été enivrant! Pour la première fois depuis vingt ans, il entend ces gros mots tchèques et, d'emblée, il est excité comme jamais il ne l'a été depuis qu'il a quitté ce pays, car tous ces mots, grossiers, sales, obscènes, n'ont de pouvoir sur lui que dans sa langue natale (dans la langue d'Ithaque), puisque c'est par cette langue, par ses racines profondes, que monte vers lui l'excitation de générations et de générations. Jusqu'à ce moment, ils ne se sont même pas embrassés. Et maintenant, superbement excités, c'est en quelques dizaines de secondes qu'ils se sont mis à s'aimer.

Leur entente est totale, car elle aussi est excitée par les mots qu'elle n'a ni prononcés ni entendus depuis tant d'années. Une entente totale dans une explosion d'obscénités! Ah, sa vie, qu'elle était pauvre! Tous les vices manqués, toutes les infidélités irréalisées, tout cela, avidement, elle veut le vivre. Elle veut vivre tout ce qu'elle a imaginé sans jamais l'avoir vécu, voyeurisme, exhibitionnisme, présence indécente des autres, énormités verbales ; tout ce qu'elle peut réaliser maintenant, elle essaie de le réaliser, et ce qui est irréalisable, elle l'imagine avec lui à voix haute.

Leur entente est totale, car Josef sait au fond de lui-même (et peut-être le désire-t-il) que cette séance érotique est sa dernière ; lui aussi fait l'amour comme s'il voulait tout résumer, ses aventures passées et celles qui ne seront plus. C'est pour l'un et l'autre un parcours de la vie sexuelle en accéléré : les audaces auxquelles les amants arrivent après plusieurs rencontres, sinon plusieurs années, ils les accomplissent dans la précipitation, l'un stimulant l'autre, comme s'ils voulaient condenser en un seul après-midi tout ce qu'ils ont manqué et manqueront.

Puis, essoufflés, ils restent allongés l'un à côté de l'autre, sur le dos, et elle dit : « Oh, ça fait des années que je n'ai pas fait l'amour ! Tu ne me crois pas, ça fait des années que je n'ai pas fait l'amour ! »

Cette sincérité l'émeut, étrangement,

profondément; il ferme les yeux. Elle en profite pour se pencher vers son sac et en retire un petit flacon; rapidement, discrètement, elle boit.

Il ouvre les yeux: «Ne bois pas, ne bois pas! Tu vas être saoule!

— Laisse-moi!» se défend-elle. Sentant la fatigue qui ne se laisse pas chasser, elle est prête à faire n'importe quoi pour garder ses sens pleinement éveillés. C'est pourquoi, même s'il l'observe, elle vide le troisième flacon puis, comme pour s'expliquer, comme pour s'excuser, elle répète que depuis longtemps elle n'a pas fait l'amour, et elle le dit cette fois avec les gros mots de son Ithaque natale et, de nouveau, le sortilège de l'obscénité excite Josef qui se remet à l'aimer.

Dans la tête d'Irena, l'alcool joue un double rôle: il libère sa fantaisie, encourage son audace, la rend sensuelle et, en même temps, il voile sa mémoire. Sauvagement, lascivement, elle fait l'amour et, en même temps, le rideau de l'oubli enveloppe ses lubricités dans une nuit qui efface tout. Comme si un poète écrivait son plus grand poème avec une encre qui, immédiatement, disparaît.

48

La mère mit le disque dans un grand appareil et appuya sur quelques boutons pour sélectionner les morceaux qu'elle aimait, puis elle plongea dans la baignoire et, ayant laissé la porte ouverte, écouta la musique. C'était son choix à elle, quatre morceaux de danse, un tango, une valse, un charleston, un rock and roll, lesquels, grâce au raffinement technique de l'appareil, se répétaient à l'infini sans aucune intervention. Elle se mit debout dans la baignoire, se lava longuement, sortit, s'essuya, enfila son peignoir et alla au salon. Puis Gustaf arriva après un long déjeuner avec quelques Suédois de passage à Prague et lui demanda où était Irena. Elle répondit (mêlant un mauvais anglais et un tchèque simplifié pour lui) : «Elle a téléphoné. Elle ne rentrera pas avant ce soir. Comment as-tu mangé?

— Beaucoup trop!

— Prends un digestif», et elle versa de la liqueur dans deux verres.

«Voilà ce que je ne refuse jamais!» s'exclama Gustaf, et il but.

La mère siffla la mélodie de la valse et tortilla des hanches; puis, sans rien dire, elle posa ses mains sur les épaules de Gustaf et fit quelques pas de danse avec lui.

«Tu es de magnifique humeur, dit Gustaf.

— Oui», répondit la mère, et elle continua à danser avec des mouvements si appuyés, si théâtraux que Gustaf, lui aussi, fit des pas et des gestes exagérés, ponctués de courts éclats de rire gênés. Il consentit à cette comédie parodique pour prouver qu'il ne voulait gâcher aucune plaisanterie, et en même temps pour rappeler, avec une timide vanité, qu'il avait été jadis un excellent danseur et qu'il l'était toujours. Tout en dansant, la mère le guida vers la grande glace accrochée au mur et tous deux tournèrent la tête et s'y regardèrent.

Puis elle le lâcha et, sans se toucher l'un l'autre, ils improvisèrent leurs évolutions face à la glace; Gustaf faisait des gestes dansants avec ses mains et, comme elle, ne quittait pas leur image du regard. C'est alors qu'il vit la main de la mère se poser sur son sexe.

La scène qui se déroule témoigne d'une erreur immémoriale des hommes qui, s'étant approprié le rôle de séducteurs, ne prennent en considération que les femmes qu'ils pourraient désirer; l'idée ne leur vient pas qu'une femme laide ou vieille, ou qui tout simplement se trouve hors de leur imagination érotique, pourrait vouloir les posséder. Coucher avec la mère d'Irena était pour Gustaf à tel point impensable, fantaisiste, irréel que, stupéfait par son attouchement, il ne sait que faire : son premier réflexe est d'enlever la main; pourtant, il n'ose pas; un commandement, depuis sa prime jeunesse, s'est gravé en lui : tu ne seras pas grossier avec une femme; il continue donc ses mouvements de danse et, ahuri, regarde la main posée entre ses jambes.

La main toujours sur son sexe, la mère se dandine sur place et ne cesse de se regarder ; puis elle laisse son peignoir s'entrouvrir et Gustaf aperçoit des seins opulents et le triangle noir au-dessous ; gêné, il sent son sexe grandir.

Sans quitter la glace des yeux, la mère enlève enfin sa main mais pour la glisser aussitôt à l'intérieur du pantalon où elle saisit le sexe nu entre ses doigts. Le sexe ne cesse de durcir et elle, tout en continuant ses mouvements de danse et en fixant toujours la glace, s'exclame admirativement de sa vibrante voix d'alto : «Oh, oh ! Ce n'est pas vrai, ce n'est pas vrai !»

49

Tout en faisant l'amour, à plusieurs reprises, discrètement, Josef regarde sa montre : encore deux heures, encore une heure et demie ; cet après-midi d'amour est fascinant, il ne veut rien en perdre, aucun geste, aucun mot, mais la fin approche, inéluctable, et il doit surveiller le temps qui s'écoule.

Elle aussi pense au temps qui raccourcit; son obscénité en devient d'autant plus précipitée et fébrile, elle parle en sautant d'une fantaisie à l'autre, devinant qu'il est déjà trop tard, que ce délire touche à sa fin et que son avenir reste désert. Elle dit encore quelques gros mots mais elle les dit en pleurant puis, secouée de sanglots, elle n'en peut plus, elle cesse tout mouvement et le repousse de son corps.

Ils sont allongés l'un à côté de l'autre, et elle dit : «Ne pars pas aujourd'hui, reste encore.

— Je ne peux pas.»

Elle se tait un long moment, puis : «Quand est-ce que je te reverrai?»

Il ne répond pas.

Avec une détermination subite, elle sort du lit; elle ne pleure plus; debout, tournée vers lui, elle lui dit, non pas sentimentalement, mais avec une agressivité soudaine : «Embrasse-moi!»

Il reste couché, hésitant.

Immobile, elle l'attend, le dévisageant de tout le poids d'une vie sans avenir.

Incapable de supporter son regard, il

capitule : il se lève, s'approche, pose ses lèvres sur les siennes.

Elle goûte son baiser, jauge le degré de sa froideur et dit : « Tu es méchant ! »

Puis elle se tourne vers son sac posé sur la table de nuit. Elle en retire un petit cendrier et le lui montre. « Tu le reconnais ? »

Il prend le cendrier et le regarde.

« Tu le reconnais ? » répète-t-elle, sévère.

Il ne sait que dire.

« Regarde l'inscription ! »

C'est le nom d'un bar praguois. Mais cela ne lui dit rien et il se tait. Elle observe son embarras avec une méfiance attentive et de plus en plus hostile.

Il se sent gêné sous ce regard et à ce moment-là, très brièvement, passe l'image d'une fenêtre avec, sur le rebord, un pot de fleurs à côté d'une lampe allumée. Mais l'image s'efface et il voit de nouveau les yeux hostiles.

Elle a tout compris : ce n'est pas seulement qu'il a oublié leur rencontre dans le bar, la vérité est pire : il ne sait pas qui elle est ! il ne la connaît pas ! dans l'avion, il ne savait pas avec qui il parlait. Et puis, soudain, elle se rend compte : jamais il ne s'est adressé à elle par son nom!

«Tu ne sais pas qui je suis!

— Comment», dit-il d'une façon désespérément gauche.

Elle lui parle comme un juge d'instruction : «Alors dis-moi mon nom!»

Il se tait.

«Quel est mon nom! Dis-moi mon nom!

— C'est sans intérêt, les noms!

— Tu ne m'as jamais appelée par mon nom! Tu ne me connais pas!

— Comment!

— Où nous sommes-nous connus? Qui suis-je?»

Il veut la calmer, il prend sa main, elle le repousse : «Tu ne sais pas qui je suis! Tu as levé une inconnue! Tu as fait l'amour avec une inconnue qui s'est offerte à toi! Tu as abusé d'un malentendu! Tu m'as eue comme une putain! J'ai été pour toi une putain, une putain inconnue!»

Elle s'est laissée tomber sur le lit et elle pleure.

Il voit les trois flacons d'alcool vides,

jetés à terre : «Tu as trop bu. C'était une bêtise de boire autant!»

Elle ne l'écoute pas. Allongée, à plat ventre, le corps agité de soubresauts, elle n'a dans la tête que la solitude qui l'attend.

Puis, comme frappée de fatigue, elle cesse de pleurer et se retourne sur le dos, laissant ses jambes, à son insu, négligemment écartées.

Josef reste debout au pied du lit; il regarde son sexe comme s'il regardait dans le vide, et soudain il voit la maison en brique avec un sapin. Il consulte sa montre. Il peut encore rester à l'hôtel une demi-heure. Il faut qu'il s'habille et qu'il trouve le moyen de la forcer à s'habiller elle aussi.

50

Quand il glissa hors de son corps, ils se turent et on n'entendait que quatre morceaux de musique qui se répétaient sans fin. Après un long moment, d'une voix

215

nette et presque solennelle, comme si elle récitait les clauses d'un traité, la mère dit dans son tchéco-anglais : «Nous sommes forts, toi et moi. We are strong. Mais nous sommes aussi bons, good, nous ne ferons de mal à personne. Nobody will know. Personne ne saura rien. Tu es libre. Tu peux quand tu veux. Mais tu n'es pas obligé. Avec moi, tu es libre. With me you are free!»

Elle l'a dit cette fois sans aucun jeu parodique, sur un ton on ne peut plus sérieux. Et Gustaf, lui aussi sérieux, répond : «Oui, je comprends.»

«Avec moi, tu es libre», ces mots résonnent en lui longuement. La liberté : il l'a cherchée chez sa fille mais ne l'a pas trouvée. Irena s'est donnée à lui avec tout le poids de sa vie, tandis que lui désirait vivre sans poids. Il cherchait en elle une évasion et elle se dressait devant lui comme un défi; comme un rébus; comme un exploit à accomplir; comme un juge à affronter.

Il voit le corps de sa nouvelle maîtresse qui se lève du divan; elle est debout, lui expose son corps de dos, les cuisses puissantes enrobées de cellulite ; cette cellulite l'enchante comme si elle exprimait la vitalité d'une peau qui ondule, qui frémit, qui parle, qui chante, qui se trémousse, qui s'exhibe ; quand elle s'incline pour prendre son peignoir jeté sur le sol, il ne peut se dominer et, allongé, nu sur le divan, il caresse ces fesses magnifiquement bombées, il palpe cette chair monumentale, surabondante, dont la généreuse prodigalité le console et le calme. Un sentiment de paix l'enveloppe : pour la première fois de sa vie, la sexualité se situe hors de tout danger, hors des conflits et des drames, hors de toute persécution, hors de toute culpabilisation, hors des soucis ; il n'a à s'occuper de rien, c'est l'amour qui s'occupe de lui, l'amour tel qu'il l'a désiré et qu'il n'a jamais eu : amour-repos ; amour-oubli ; amour-désertion ; amour-insouciance ; amour-insignifiance.

La mère est passée dans la salle de bains et il reste seul : il y a quelques instants, il a pensé avoir commis un immense péché ; mais maintenant il sait que son acte d'amour n'avait rien à voir avec un vice, avec une transgression ou une perversion, que c'était une normalité des plus normales. C'est avec elle, la mère, qu'il forme un couple, agréablement banal, naturel, convenable, un couple de vieilles personnes sereines. De la salle de bains lui parvient le bruit de l'eau, il s'assoit sur le divan et regarde sa montre. Dans deux heures viendra le fils de sa toute récente maîtresse, un homme jeune qui l'admire. Gustaf l'introduira ce soir parmi ses amis d'affaires. Toute sa vie il a été entouré de femmes ! Quel plaisir d'avoir enfin un fils ! Il sourit et commence à chercher ses vêtements dispersés sur le sol.

Il est déjà habillé quand la mère revient de la salle de bains, en robe. C'est une situation un tout petit peu solennelle et donc embarrassante, comme le sont toujours les situations où, après le premier acte d'amour, les amants sont confrontés à un avenir que, soudain, ils sont obligés d'assumer. La musique résonne toujours et, à ce moment délicat, comme si elle voulait venir à leur secours, elle passe du rock au tango. Ils obéissent à cette invite, s'enlacent et s'abandonnent à ce flot monotone, indolent, de sons; ils ne pensent à rien; ils se laissent porter et emporter; ils dansent, lentement, longuement, sans parodie aucune.

51

Ses sanglots durèrent longtemps et puis, comme par miracle, ils cessèrent, suivis d'une respiration lourde : elle s'endormit; ce changement fut étonnant et tristement risible; elle dormait, profondément, irrépressiblement. Elle n'avait pas changé de position, elle restait sur le dos, les jambes écartées.

Il regardait toujours son sexe, ce tout petit endroit qui, avec une admirable économie d'espace, assure quatre fonctions suprêmes : exciter; copuler; engendrer; uriner. Longuement, il regarda ce pauvre endroit désenchanté et fut saisi d'une immense, immense tristesse.

Il s'agenouilla près du lit, penché au-dessus de sa tête qui tendrement ronflait;

cette femme lui était proche; il pouvait imaginer de rester avec elle, de s'occuper d'elle; ils s'étaient promis, dans l'avion, de ne pas s'enquérir de leur vie privée; il ne savait donc rien d'elle, mais une chose lui paraissait claire : elle était amoureuse de lui; prête à s'en aller avec lui, à tout quitter, à tout recommencer. Il savait qu'elle l'appelait au secours. Il avait une occasion, certainement la dernière, d'être utile, d'aider quelqu'un et, parmi cette multitude d'étrangers dont la planète est surpeuplée, de trouver une sœur.

Il commença à s'habiller, discrètement, silencieusement, pour ne pas la réveiller.

52

Comme tous les dimanches soir, elle était seule dans son modeste studio de scientifique pauvre. Elle allait et venait dans la pièce et mangeait la même chose qu'à midi : du fromage, du beurre, du pain, de la bière. Végétarienne, elle est condamnée à cette monotonie alimentaire. Depuis son séjour à l'hôpital de montagne, la viande lui rappelle que son corps peut être découpé et mangé aussi bien que le corps d'un veau. Bien sûr, les gens ne mangent pas de chair humaine, cela les effraierait. Mais cet effroi ne fait que confirmer qu'un homme peut être mangé, mastiqué, avalé, transmué en excréments. Et Milada sait que l'effroi d'être mangé n'est que la conséquence d'un autre effroi plus général et qui est au tréfonds de toute la vie : l'effroi d'être corps, d'exister sous la forme d'un corps.

Elle termina son dîner et alla dans la salle de bains se laver les mains. Puis elle leva la tête et se vit dans le miroir au-dessus du lavabo. C'était alors un tout autre regard que lorsque, tout à l'heure, elle avait observé sa beauté dans une vitrine. Cette fois, le regard était tendu ; lentement elle releva ses cheveux qui lui encadrent les joues. Elle se regarda, comme hypnotisée, longuement, très longuement, puis elle laissa retomber ses cheveux, les arrangea autour du visage et rentra dans la pièce.

À l'université, les rêves de voyages vers d'autres étoiles la séduisaient. Quel bonheur de s'évader loin dans l'univers, quelque part où la vie se manifeste autrement qu'ici et n'a pas besoin de corps ! Mais malgré toutes ses fusées stupéfiantes, l'homme n'avancera jamais loin dans l'univers. La brièveté de sa vie fait du ciel un couvercle noir contre lequel il se fracassera toujours la tête puis retombera sur la terre où tout ce qui vit mange et peut être mangé.

Misère et orgueil. « Sur un cheval la mort et un paon. » Elle était debout devant la fenêtre et regardait le ciel. Ciel sans étoiles, couvercle noir.

53

Il mit toutes ses affaires dans la valise et jeta un coup d'œil circulaire dans la chambre pour ne rien oublier. Puis il s'assit à la table et, sur une feuille de papier à en-tête de l'hôtel, il écrivit :

« Dors bien. La chambre est à toi jusqu'à demain midi...» Il aurait voulu lui dire encore quelque chose de très tendre, mais en même temps il s'interdisait de lui laisser un seul mot faux. Finalement, il ajouta : «... ma sœur.»

Il posa la feuille sur le tapis à côté du lit pour être sûr qu'elle la voie.

Il prit le carton portant l'inscription : *ne pas déranger, don't disturb*; en sortant, il se retourna encore sur elle qui dormait et, dans le couloir, il suspendit le carton à la poignée de la porte qu'il ferma sans bruit.

Dans le hall, de partout, il entendait parler tchèque et c'était de nouveau, monotone et désagréablement blasée, une langue inconnue.

En réglant sa note, il dit : «Une dame est restée dans ma chambre. Elle partira plus tard.» Et pour être sûr que personne ne jetterait sur elle un regard méchant, il posa devant la réceptionniste un billet de cinq cents couronnes.

Il prit un taxi et partit pour l'aéroport. C'était déjà le soir. L'avion s'envola vers un ciel noir, puis s'enfonça dans les nuages. Après quelques minutes, le ciel s'ouvrit, paisible et amical, parsemé d'étoiles. En regardant par le hublot, il vit, au fond du ciel, une clôture basse en bois et, devant une maison en brique, un sapin svelte tel un bras levé.

Le piège de l'émigration

> Ulysse s'éveillait de son premier som-
> meil sur la terre natale, mais sans la recon-
> naître après la longue absence [...].
> — Quel est donc ce pays? Hélas, chez
> quels mortels suis-je enfin revenu? [...] Est-
> il bien vrai, dis-moi, que c'est là ma patrie?
>
> *Odyssée,*
> chant XIII

1

Selon l'auteur des Testaments trahis, *la moder-
nité du roman, ce qui fait qu'il est inséparable de l'esprit
des Temps modernes, réside dans sa nature «profanatrice», c'est-à-dire dans le concours qu'il apporte à
la «dédivinisation du monde», au recul du sacré, à ce
que certains ont appelé le désenchantement moderne.
Son œuvre de désacralisation, le roman ne l'exerce
toutefois ni par le blasphème ni par la révolte ouverte,
qui seraient plutôt les armes de la poésie, mais simplement en demeurant fidèle au destin artistique que lui*

ont légué ses fondateurs et qui est l'exploration patiente, à travers des êtres et des événements imaginaires, de la condition humaine la plus concrète, la plus immédiate, c'est-à-dire débarrassée, justement, de tout le divin sous lequel elle prétend s'envelopper pour dissimuler sa fragilité, son ambiguïté, sa vérité laïque et fuyante. Dans ce désencombrement de l'existence terrestre, et dans les découvertes qu'il provoque, le roman trouve sa seule justification morale et son accomplissement esthétique.

Or l'instrument premier de la désacralisation, l'attitude profanatrice par excellence, c'est l'humour, qui n'est donc pas, pour le roman, un simple mode ou un simple genre parmi d'autres, ni une qualité accidentelle, mais son âme même, la source vive de son inspiration. Cela dit, l'humour romanesque ne doit pas être assimilé au seul rire, ni au comique, même si ceux-ci en sont des manifestations privilégiées. Plus généralement, et plus radicalement, c'est le refus d'ajouter foi à tout ce qui, se donnant pour «sérieux», prétend par là imposer le silence et la vénération ; à tout ce qui, en d'autres mots, se pare de grandeur ou de simplicité et se tient à l'abri des interrogations. Le roman, le travail humoristique du roman commence dès l'instant où, à travers un personnage, une Vérité vacille, une Valeur se relativise, et que tout ce qui jusque-là paraissait stable et net se met à bouger, à se dissoudre, à se transformer en la suite interminable de ses propres variations. Tel est l'air qui circule dans le territoire non sérieux du roman : rien ne résiste à sa corrosion ni à la légèreté qu'il verse sur toutes choses, qui aussitôt deviennent ambivalentes et problématiques, tout en s'illuminant de cette grâce nouvelle, proprement humaine, dont les revêt leur chute dans l'espace de l'imperfection profane et de la méprise sans fin.

Tous les romans de Kundera, à un titre ou à un autre, peuvent être lus plus ou moins de cette manière : une valeur, un thème, un grand mot — Amour, Jeunesse, Poésie, Histoire, Révolution, Identité — est soumis à l'épreuve du non-sérieux, c'est-à-dire dépouillé de son aura et profané par sa descente dans le « piège » de l'existence humaine, où sa signification se lézarde, se renverse, montre sa complexité insoupçonnée et se perd dans les méandres du rire et de l'incertitude. En ce sens, L'ignorance — comme méditation romanesque sur la Nostalgie et l'Exil — est le prolongement direct de La plaisanterie, de Risibles amours, de La vie est ailleurs ou de L'immortalité. D'où l'ébranlement qu'il provoque, semblable à celui que provoque toute interrogation d'une vérité jusque-là tenue pour évidente, toute profanation d'une valeur simple et sacrée par quoi nous croyons comprendre notre vie et notre époque et départager le bien du mal dans le monde obscur où nous cheminons. L'exil, pensons-nous depuis toujours (depuis Ulysse), est une malédiction, et il vaut mieux pour l'homme habiter dans sa patrie, entouré des siens, que d'errer seul sur une terre étrangère. Mais, demande le roman, se peut-il que l'exilé soit un homme en paix ? Et qu'une chose aussi sérieuse, aussi évidente que le besoin d'appartenance, qu'un désir aussi ancien et « naturel » que le désir du retour au pays natal ne soit pas pour lui un désir mais une obligation, un fardeau plutôt qu'une attente ? Et si la nostalgie n'était

qu'un sentiment emprunté, et si elle n'était qu'un
leurre ? Et s'il n'existait rien de tel qu'une patrie ?

[Irena] avait toujours considéré comme une
évidence que son émigration était un malheur. Mais, se demande-t-elle en cet instant,
n'était-ce pas plutôt une illusion de malheur,
une illusion suggérée par la façon dont tout le
monde perçoit un émigré ? Ne lisait-elle pas
sa propre vie d'après un mode d'emploi que
les autres lui avaient glissé entre les mains ?
Et elle se dit que son émigration, bien qu'imposée de l'extérieur, contre sa volonté, était
peut-être, à son insu, la meilleure issue à sa
vie. Les forces implacables de l'Histoire qui
avaient attenté à sa liberté l'avaient rendue
libre.

Au regard de l'idéologie, voire de l'anthropologie
ordinaire, de telles questions sont proprement scanda-
leuses. Il suffit, pour bien le mesurer, de les transposer
dans le domaine de l'actualité politique et militaire : se
peut-il que les milliers de réfugiés, de bannis, de «per-
sonnes déplacées» par les guerres et les famines du
monde entier ne vivent pas tous ni nécessairement un
destin de victimes ? Qu'ils n'aspirent pas tous ni
nécessairement à retrouver leurs familles et leur pays ?
À ces questions, le roman n'apporte pas de réponses.
Du moins pas de réponses claires. Mais il ébranle les
réponses déjà prêtes, les certitudes qui d'ordinaire
empêchent même les questions d'être posées ; en les fai-

sant entrer dans le territoire du non-sérieux et en les confrontant à l'existence imaginée d'Irena et de Josef, il prive ces réponses de leur caractère d'évidence et en fait apparaître la précarité, la fausseté peut-être, en tout cas l'insuffisance. Au sacré succède la réserve, à l'affirmation, la perplexité.

2

Irena et Josef ont quitté leur Bohême natale pour aller refaire leur vie à l'étranger ; ils y reviennent peu après la chute du communisme. Leur histoire, quand on connaît celle de l'auteur, donne au roman un certain accent autobiographique. Mais ce serait se méprendre que de s'en tenir à une lecture aussi réductrice, que rien, d'ailleurs, n'autorise dans le texte. En fait, ce ne sont pas seulement Irena et Josef, mais pratiquement tous les personnages de L'ignorance qui, à quelque titre, sont des émigrés, c'est-à-dire des êtres qui, à un moment ou l'autre, ont été ou se sont eux-mêmes coupés de leur passé et qui, dès lors, se retrouvent dans un univers étranger, d'où ce passé leur paraît incompréhensible et lointain, aux uns inspirant le regret, aux autres l'amertume ou la honte, aux uns le désir d'y revenir, aux autres celui de s'en éloigner encore. Tel est, bien sûr, le Suédois Gustaf, attaché à la Prague touristifiée parce qu'elle le libère de sa famille et, plus profondément, du poids de la vieille humanité, faisant de lui « un enfant

229

qui se balade, ébloui, dans un parc d'attractions et ne veut plus le quitter». Mais tels sont également les Tchèques eux-mêmes, comme le frère de Josef ou son ami N., qui n'ont pas quitté leur pays mais qui y vivent comme s'ils en avaient tout oublié; ou Milada, exilée du monde qui l'entoure par la fascination de sa beauté perdue. Et tels sont aussi les «personnages» évoqués dans les arrière-plans de l'histoire de Josef et Irena : Ulysse, certes, mais aussi Schönberg ou le grand poète enterré «à deux mille kilomètres de son Ithaque».

Émigrés rentrant dans leur pays après vingt ans d'absence, Josef et Irena n'y retrouvent que d'autres déracinés et l'absence de leur pays. Loin de mettre fin à leur exil, le retour ne fait que le rendre encore plus définitif, et à jamais irréparable la rupture qui a fait d'eux des êtres séparés, expatriés où qu'ils soient dans le monde, si ce n'est dans leur exil même. La dernière image du roman, à cet égard, est saisissante : ce «ciel noir» dans lequel s'envole l'avion de Josef, mais qui s'ouvre bientôt, «paisible et amical, parsemé d'étoiles», pour laisser paraître au regard du voyageur «une clôture basse en bois et, devant une maison en brique, un sapin svelte tel un bras levé», son Ithaque, sa seule patrie, c'est-à-dire la terre de son exil, habitée par le souvenir de sa femme défunte. Josef n'appartient plus à sa Bohême natale, il n'est plus le frère de son frère, ni le père de sa belle-fille, ni l'ami de son ami, ni l'amant de sa compatriote Irena; pour toujours il est l'émigré, le sans-patrie, le veuf.

Tout aussi superficielle que la lecture autobiogra-

phique, une lecture purement politique ou sociologique de L'ignorance, *qui n'y verrait que l'interprétation d'un phénomène particulier de l'histoire contemporaine, raterait l'essentiel. L'expérience dont il est question ici, celle de l'émigration et du retour, n'est pas seulement, ni même d'abord une expérience d'ordre historique, liée aux circonstances de la politique. Comme celle de Ludvik dans* La plaisanterie, *de Jaromil dans* La vie est ailleurs, *de Jakub dans* La valse aux adieux *ou de Tomas et Tereza dans* L'insoutenable légèreté de l'être, *l'aventure d'Irena et Josef a beau se dérouler dans un décor et un moment socio-historiques particuliers, sa signification et sa portée les débordent infiniment. La question que pose le roman n'est pas : qu'est-ce qu'un émigré tchèque (ou russe, ou polonais, ou afghan), et que lui arrive-t-il lorsque les frontières de son pays s'ouvrent de nouveau pour lui ? Mais bien : que devient l'existence humaine dans le « piège » de l'émigration ? Ou, mieux encore : que devient l'existence quand l'homme a cessé de vivre dans un monde qu'il peut considérer et aimer comme sa patrie ?*

Cette question est l'énigme même de notre condition moderne, celle qui hante les exilés métaphysiques que nous sommes, habités par le regret de ce que nous avons nous-mêmes dévasté et par la conscience — à la fois terrible et consolatrice — de l'impossibilité de nous y établir à nouveau. En ce sens, le roman — et celui-ci ne fait pas exception — ne contribue pas seulement à la désacralisation du monde. Il est aussi, de ce monde désacralisé, l'exploration la plus lucide et la plus belle qui soit. Et c'est pourquoi, peut-être, tout en mettant au jour les illusions de la nostalgie, L'ignorance *nous paraît un livre si profondément nostalgique.*

3

Avec La lenteur *et* L'identité, L'ignorance *forme ce qu'on peut maintenant appeler le «cycle français» de l'œuvre romanesque de Milan Kundera, pour le distinguer des sept romans qui, de* La plaisanterie *à* L'immortalité, *en constituaient le «cycle tchèque». Entre ces deux ensembles, deux différences sautent aux yeux : la langue, bien sûr, mais aussi le type de construction, aux romans tchèques relativement longs et fortement charpentés, avec leurs divisions en parties et en chapitres, succédant des romans beaucoup plus courts, formés d'une seule suite de 51 ou 53 petits chapitres.*

Ces deux différences ne sont pas du même ordre. Si la première est plutôt superficielle, la seconde, en revanche, touche à une dimension centrale de l'art de Kundera, le souci de la composition et de l'invention formelle. En ce qui a trait à la langue d'écriture, disons ceci : d'un «cycle» à l'autre, le tchèque a beau faire place au français, le style *de Kundera, lui, demeure inchangé. Partout c'est la même prose sobre et transparente, privilégiant un vocabulaire et une syntaxe aussi directs, aussi réservés et aussi peu complaisants que possible ; partout le même rythme, la même flui-*

dité du débit narratif, qui rappelle celui de la conversation amicale et du jeu. Cette permanence «translinguistique» du style kundérien s'observe également, sur un plan plus technique, dans la manière de présenter et de caractériser les personnages (en se concentrant sur leurs seuls traits essentiels), de conduire les descriptions (en les limitant au minimum et en bannissant tout pittoresque comme toute ornementation poétisante), de narrer les scènes et les dialogues (en allant toujours au plus significatif, au plus inoubliable), ou de faire s'entrecroiser dans le texte divers registres (récit, essai, références culturelles, etc.) sans les subordonner les uns aux autres mais en les traitant comme les lignes égales d'une seule et même composition «polyphonique». Bref, le lecteur familier du Kundera tchèque se sent d'emblée chez lui en abordant le Kundera français : c'est la même «voix», la même «méthode», le même univers esthétique.

Esthétique et thématique, pourrait-on ajouter, puisque les grands sujets de méditation, les grandes interrogations qui hantaient déjà l'œuvre tchèque reparaissent dans l'œuvre française avec la même insistance, donnant lieu à de nouveaux approfondissements qui illustrent non seulement leur caractère inépuisable, mais aussi la cohérence et la continuité de l'œuvre. Comment ne pas entendre dans L'ignorance, par exemple, des échos de La valse aux adieux ou du Livre du rire et de l'oubli, deux romans où l'émigration occupait déjà une grande place ? Devant Josef et Irena, comment ne pas songer à Jakub, Tamina, Jan, ou même au Ludvik de La plaisanterie, *qui revenait lui aussi dans sa ville natale après un long « exil » ? Devant Milada, comment ne pas se rappeler la jeune fille blonde morte de froid par amour pour Xavier dans* La vie est ailleurs, *ou encore la jeune suicidaire de* L'immortalité *? Devant la solitude de Josef dans son refuge danois, comment ne pas évoquer le quadragénaire de* La vie est ailleurs, *exilé pour toujours « en dehors du drame de sa vie » ? Ces échos, ou mieux : ces nouvelles variations sur des thèmes, des situations ou des personnages de l'œuvre antérieure constituent l'une des beautés particulières de* L'ignorance *comme de chacun des romans de Kundera, tchèques ou français, qui tous se répondent, se prolongent et s'enrichissent les uns les autres, formant ainsi, à l'instar de toutes les grandes œuvres artistiques, un ensemble à la fois multiple et unifié, aux potentialités proprement illimitées.*

Cela dit, ce troisième roman français, comme les deux précédents, appartient bel et bien, sur le plan de la composition, à une époque nouvelle de l'art de Kundera, nouveauté qui représente en même temps, dans le paysage du roman français (et occidental) contemporain, une invention aussi précieuse, aussi incontestable qu'a pu l'être, dans les romans tchèques du même auteur, celle du grand roman polyphonique en forme de variations. Cette invention, qui ne rompt pas tant avec l'esthétique du cycle tchèque qu'elle n'en exploite l'une des possibilités latentes, on pourrait la décrire comme la mise au point d'une forme romanesque capable de contenir dans un minimum d'espace textuel une variété et une densité dramatiques et sémantiques maximales.

Pour mieux apprécier la nature de cette nouveauté, situons-la un instant en regard des deux grandes tendances — ou des deux grandes exigences — qui ont marqué le roman depuis ses origines et partagé son royaume en deux provinces esthétiques, non point étanches, certes, mais quand même assez bien caractérisées : la tendance à l'expansion, à l'ouverture quasi illimitée, aussi bien temporelle et spatiale que narrative et thématique, dont les modèles seraient le Don Quichotte *et les romans de Sterne et Fielding chez les classiques ou, plus près de nous,* Guerre et Paix, Les somnambules *de Broch ou* L'homme sans qualités *; et la tendance inverse à la concentration, au dépouillement, à une sorte de fixité ou de clôture formelle, comme dans* La princesse de Clèves, Point de lendemain *ou* La mort d'Ivan Ilitch. *D'un côté, la profusion des personnages et des intrigues, la juxtaposition des registres, l'allure déliée, « fluviale » et presque désordonnée de la matière romanesque ; de l'autre, la restriction du temps et de l'espace, la focalisation sur une intrigue bien circonscrite et sur un petit nombre de personnages, la narration elliptique, l'uniformité thématique. D'un côté, l'étendue et la prodigalité ; de l'autre, la brièveté et l'économie. Or, le défi que relèvent les trois romans français de Kundera est justement, sans renoncer ni accorder la préséance à l'une ou à l'autre de ces deux exigences, de dépasser leur opposition et d'en opérer la* synthèse, *en faisant entrer dans une composition strictement contenue, voisine de la nouvelle ou de la « novella », une substance dont la profondeur sémantique et la diversité soient* aussi larges et aussi libres que possible. Il en résulte un texte d'une simplicité et d'une complexité extrêmes, tout ensemble concis et foisonnant, réduit à l'essentiel et cependant fourmillant de significations, de suggestions, de surprises et de digressions de toutes sortes ; un texte à la fois « classique » et « baroque », linéaire et sinueux, bref et indéfiniment ouvert.

Ainsi, L'ignorance ne fait pas deux cent cinquante pages, et la durée de son action centrale (l'histoire d'amour de Josef et Irena) ne dépasse pas quelques jours. Pourtant, c'est toute la vie de Josef et d'Irena que le roman raconte, et toute la vie de Milada qui, issue de la leur par le biais du journal de Josef et des souvenirs d'Irena, s'en sépare bientôt pour suivre son propre chemin narratif, et ces trois chemins, en s'entrecroisant avec ceux de Gustaf et de la mère d'Irena, comme avec ceux du frère et de l'ami de Josef, tissent une trame dramatique parfaitement cohérente, préparant la triple scène de la fin (chapitres 44 à 53), à la fois pathétique et loufoque, où les histoires respectives de Josef et Irena, de Gustaf et sa belle-mère et de Milada, racontées en parallèle, apparaissent comme de magnifiques variations les unes des autres. Mais ce n'est pas tout. À mesure que l'âme et le destin de ces personnages se révèlent sous ses yeux, le romancier s'arrête à des réflexions — sur la nostalgie, sur Ulysse, sur l'histoire de la Tchécoslovaquie, sur les paradoxes de la mathématique existentielle, sur la langue maternelle, sur la fin de la musique — qui les éclairent tout en étant éclairées par eux et qui font de ce roman pourtant bref une vaste fresque ayant pour sujet rien *de moins que l'existence moderne, vue sous le seul angle qui puisse en découvrir l'insaisissable vérité et la beauté particulière, celui de l'humour et de la compassion romanesques.*

Ce tour de force formel que constituent les romans français de Kundera n'est pas seulement une grande innovation sur le plan esthétique. C'est aussi la solution nouvelle qu'apporte un artiste chevronné à ce qui constitue l'un des problèmes séculaires du roman : la mémoire limitée et défaillante du lecteur. Lire un roman, en effet, c'est toujours plus ou moins le « dévorer », c'est-à-dire, qu'on le veuille ou non, oublier ce qu'on lit à mesure qu'on le lit, négliger le détail des phrases, des scènes et des pensées, si frappantes qu'elles nous paraissent sur le coup, pour n'en retenir qu'un pâle résumé permettant la poursuite de notre lecture. De sorte que, malgré la meilleure volonté du monde, nous sommes fatalement des lecteurs myopes et distraits. Et nous le sommes d'autant plus que le temps de notre lecture s'allonge et que le contenu du roman que nous lisons est riche et varié. Le pari d'une œuvre comme L'ignorance *— ou* La lenteur, *ou* L'identité *—, c'est de réduire à l'extrême le temps de la lecture, mais sans réduire en rien l'abondance et la diversité de la matière romanesque.*

Et d'y réussir sans en avoir l'air, comme en se jouant.

François Ricard

ŒUVRES DE MILAN KUNDERA

Aux Éditions Gallimard

LA PLAISANTERIE, *roman.*
RISIBLES AMOURS, *nouvelles.*
LA VIE EST AILLEURS, *roman.*
LA VALSE AUX ADIEUX, *roman.*
LE LIVRE DU RIRE ET DE L'OUBLI, *roman.*
L'INSOUTENABLE LÉGÈRETÉ DE L'ÊTRE, *roman.*
L'IMMORTALITÉ, *roman.*
LA LENTEUR, *roman.*
L'IDENTITÉ, *roman.*
L'IGNORANCE, *roman.*

JACQUES ET SON MAÎTRE. Hommage à Denis Diderot en
trois actes, *théâtre.*

L'ART DU ROMAN, *essai.*
LES TESTAMENTS TRAHIS, *essai.*
LE RIDEAU, essai en sept parties, *essai.*
UNE RENCONTRE, *essai.*

Tous ces livres sont publiés en deux tomes dans la Bibliothèque de la
Pléiade, avec préface et biographies des œuvres par François Ricard.
ŒUVRE.

Composition Interligne.
Impression CPI Bussière
à Saint-Amand (Cher), le 22 mars 2012.
Dépôt légal : mars 2012.
1ᵉʳ dépôt légal dans la collection : janvier 2005.
Numéro d'imprimeur : 121209/1.
ISBN 978-2-07-030610-7./Imprimé en France

242475